2 after Garcia Lazo de la Vega



Episodes of tradition
Mystic + Supernatural
Grotesque
Protest against rules of
neo clasisim -
new forms - no rules
picturesque heroic figure

# DON ÁLVARO
# O
# LA FUERZA DEL SINO

ÁNGEL DE SAAVEDRA, THIRD DUKE OF RIVAS
From a Portrait by Frederico de Madrazo
Reproduced through the courtesy of the
Hispanic Society of America

# DON ÁLVARO

O

# LA FUERZA DEL SINO

DRAMA EN CINCO JORNADAS

DE

DON ÁNGEL DE SAAVEDRA

DUQUE DE RIVAS

*EDITED WITH INTRODUCTION*
*NOTES AND VOCABULARY*

BY

S. L. MILLARD ROSENBERG, PH.D.
UNIVERSITY OF CALIFORNIA AT LOS ANGELES

AND

ERNEST H. TEMPLIN, PH.D.

LONGMANS, GREEN AND CO.
NEW YORK · LONDON · TORONTO

LONGMANS, GREEN AND CO.
55 FIFTH AVENUE, NEW YORK
221 EAST 20TH STREET, CHICAGO

LONGMANS, GREEN AND CO. LTD.
39 PATERNOSTER ROW, LONDON, E.C. 4
17 CHITTARANJAN AVENUE, CALCUTTA
NICOL ROAD, BOMBAY
36A MOUNT ROAD, MADRAS

LONGMANS, GREEN AND CO.
215 VICTORIA STREET, TORONTO

ROSENBERG & TEMPLIN
DON ÁLVARO



First edition January 1928
Reprinted January 1933
January 1941

MADE IN THE UNITED STATES OF AMERICA

*To*
YVONNE

# PREFACE

THE purpose of the present edition of *Don Álvaro* is to make available for classroom purposes one of the most important — if not *the* most important — of the Spanish romantic dramas, a play that figures in the history of the modern Spanish drama about as does Victor Hugo's *Hernani* in the French theatre.

The text of the edition is based largely on the authoritative Madrid edition of 1902 (*Tomo VI* of the *Obras completas*), which was edited under the direction of the poet's son, D. Enrique R. de Saavedra, Duque de Rivas. In the matter of orthography and accent, however, the present text conforms to the rules of the Real Academia Española.

The Notes and Vocabulary have been prepared with a view to the needs of the more advanced classes in Spanish who may reasonably be expected to be familiar with the fundamentals of the language as well as with the more ordinary and obvious words.

The editors mention with especial gratitude Mr. E. Allison Peers' admirable works on the Duque de Rivas, the *Critical Study* (1923), and *Rivas and Romanticism* (1923), to which the introductory matter of the edition is particularly indebted. For helpful suggestions with regard to certain words and passages of the text, it is a pleasure to express thanks to Professor F. O. Reed and Miss Frances Eberling of the University of Arizona, to Professor H. C. Berkowitz of the University of Wisconsin, and to our colleagues, Professors César Barja and Laurence D. Bailiff, of the University of California at Los Angeles.

# CONTENTS

# INTRODUCTION

## BIOGRAPHICAL SKETCH

Ángel de Saavedra, Duque de Rivas, scion of a distinguished, aristocratic family, was born in Córdoba in 1791. Left fatherless while yet a lad, he began his career in the army during the War of Independence (1808–1814) where he distinguished himself for bravery. In the battle of Talavera (1809), in which he participated with his older brother, he was severely wounded. After his convalescence in his native town, Córdoba having meanwhile been entered by the invaders, he managed to flee with his mother from one city to another, to Málaga, Gibraltar and Cádiz, as these were being successively besieged during the Napoleonic invasion. When the French were finally driven from Spain, and after the Spanish monarchy was restored, Don Ángel began to exercise the literary talent of which he had early shown the strongest indication. Elected now (1822) as Deputy for Córdoba, he began to associate himself with the foremost Liberals of his country, and through his impassioned appeals in favor of a more liberal constitution he incurred the ill-will of the ruling powers.

When the Liberal movement failed, he, with many other radicals, was obliged to flee. He first took up his abode at Gibraltar, whence he found his way to London. But the harsh climate of England again compelled him to change residence, and after a short stay in Italy, whence he was expelled at the request of the Spanish government, he finally took refuge on the isle of Malta where he remained for five years. Here he formed the friendship of the erstwhile British ambassador, and man of letters, John Hookham Frere, who was devoted to Spanish literature and whose excellent library, rich in old Spanish tomes, was hereafter at Don Ángel's disposal. Frere's influence on the impressionable youth was very marked, since he succeeded in interesting him deeply in Elizabethan literature, and especially in Shakespeare, and in firing his enthusiasm for the English Romantics, and for the Romantic movement in general, the literary revolt against pseudo-Classicism which at the moment was sweeping through Europe. The young poet's intensive study of Shakespeare, of Byron and Scott, which dates from this period, was soon to yield significant and far-reaching results.

The comparatively happy years in Malta were followed by years of stress. In 1830 Don Ángel, with his wife and three young children, went to France where he drifted from one city to another, from Marseilles to Orleans and Paris, living everywhere in want, and just managing to eke out a livelihood by taking pupils, until finally — with the death of the autocratic Ferdinand VII (1833), and the subsequent general amnesty for the political exiles, — he was able to return to Spain in 1834. During this same year the Duke, his elder brother, died and Don Ángel succeeded to the title, — an unfortunate distinction in so far as it affected his future literary activities. By this time his reputation as a literary force was being firmly established and his remarkable productions in the field of the lyric and the drama were accumulating apace. But the dukedom now directed his life into channels that hampered creative literary work. In fact, after 1835, the year of the publication of *Don Álvaro*, with thirty years still ahead of him, Rivas' productions of outstanding merit were few, the duties and amenities of his dukedom and the exigencies of his social and political position almost wholly claiming his interests. As cabinet minister, as Spanish ambassador to Naples and Paris, as President of the Ateneo and the Academia, he was continually and prominently in the public eye for the rest of his life. His death, after a lingering illness, on June 23, 1865, was mourned by the entire nation that had placed him on a pedestal rarely vouchsafed to a contemporary writer.

## PRINCIPAL WORKS

### *Lyrical Productions*

SAAVEDRA'S first published work, aside from two poems that he had printed at the age of fifteen, — one a *romance* of the Middle Ages (foreshadowing the *romances históricos* to follow later), the other a pastoral poem of the conventional type, — was a slender volume of lyrics, issued at Cádiz in 1814, under the title of *Poesías*. These early poems are of a rather florid type, of an erotic, patriotic, or occasional character, and reflect various influences. They abound in classical and mythological allusions, and in form and treatment show the hallmarks of particular authors and especially of Quintana. But the subjective note already predominates, characteristic of the poet's early Romantic bent.

Perhaps the most remarkable poem in this first collection of lyrics is *El Paso honroso*, a romance of chivalry laid in the court of John II of Castile, in the fifteenth century. It has been variously criticized, — praised and condemned, — Juan Valera, ever an ardent admirer and friend of Rivas, going perhaps the greatest length in encomium by ranking it favorably with the best of Ariosto.

*El Desterrado*, a lengthy poem in the manner of the classical ode, and breathing passionate patriotic feeling, appeared in 1824, followed by an admirable epic poem in five cantos, *Florinda*, which deals with a legendary epoch of early Spanish history, and is rich in dramatic elements and colorful descriptions.

In 1828 came the rarely beautiful lyric on the grandeur of the lighthouse of Malta, a poem which is still one of the most popular of the poet's creations, *El Faro de Malta*. It is a narrative poem in unrhymed stanzas, which abounds in exquisite word-paintings, and in which the biographical note and crescent romantic disposition of the author are delightfully manifest.

*El Moro expósito*, another narrative poem, by many critics considered the most brilliant, most colorful, of all of Rivas' lyrics, appeared in 1832. A *leyenda en doce romances* (as the sub-title has it), it is obviously moulded on Scott's *Marmion* and *The Lady of the Lake*, while in content it has many similarities with *Ivanhoe*. Destiny is the keynote of *El Moro expósito*, as we have it subsequently in its most ardent, most romantic, development in *Don Álvaro*. The poem which is dedicated to Frere to whom it owes origin and character, deals with the hero Mudarra, "the foundling Moor," one of the best known heroic figures of old Spanish tradition.

The story of the *Siete Infantes de Lara*, and the old ballads, generally, dealing with the subject, have here received a rarely appealing, colorful setting in lyric form, the drama alone, in the well-known comedias of Lope (*El Bastardo Mudarra*) and Matos Fragoso (*El Traidor contra su sangre y Siete Infantes de Lara*), having hitherto successfully assayed the legend's possibilities. This stirring poem, in which the elements of tragedy and mystery are most happily blended, greatly increased the author's renown as a Romantic poet, and perpetuated his fame as the protagonist and champion of the Romantic movement in Spain. A new school of Romantic narrative poets — in which, however, Rivas remained the peer — quickly sprang up, a coterie of writers who, for years thereafter, likewise sought their inspiration in the national legends and *tradiciones* of old Spanish lore.

In the *Romances Históricos*, a series of shorter ballads (eighteen in number), — published as a collection in 1841, though the greater part was composed earlier, — our poet shows himself the craftsman par excellence in weaving a *romance*, and giving it appealing lyric guise through his choice of the ancient ballad metres, the octosyllabic measure (where assonance is substituted for rhyme), as his medium of poetic expression, a traditional verse-form for this type of poem which he heartily recommends — (in the *Prólogo* to the *Romances Históricos*) — to the new school of Spanish Romantics. Each of the *leyendas* brings into relief some episode of Spain's glorious tradition, in which the most ardent of patriotic idealism is voiced, without any attempt, however, to palliate Spain's less creditable epochs. From the fourteenth century onward to the nineteenth, themes centering about the reigns of Peter the Cruel, of John II, of Ferdinand and Isabel, of Charles V, and Philip II, are given characteristic expression in brilliancy of color and description that proclaim the adept technician who understands dramatic needs. But it must be remembered that the poet, who was trained as a painter, was almost as skilful with brush and pencil as with the pen.

Three narrative poems appeared subsequent to the *Romances Históricos*, entitled *Leyendas*. The longest and, perhaps, the most attractive of these, *La Azucena milagrosa* (1847), which was dedicated to his good friend, the young poet José Zorrilla, deals with the period of the Reconquest of Granada. It has considerable of the mystic and supernatural about it, with a miraculous lily as the principal theme. *Maldonado* (1852) is a colorful tale dealing with incidents in the life of the Aragonese admiral Pérez de Aldana and his adventures with the Duke of Normandy. *El Aniversario* (1854) centers about the battle of Badajoz, and is a legend which exemplifies Rivas' occasional leaning toward the grotesque, especially in the uncanny episode during the celebration of Mass in the Badajoz Cathedral when the nave is filled with the skeletons of the old Christian warriors who assist in the Holy Sacrifice.

None of these *leyendas*, in invention and treatment, are quite as appealing as Rivas' earlier lyrics.

### *Dramatic Productions*

SAAVEDRA's earliest plays of which we have any record — and he began as a youngster to try his hand at dramatic composition, — were scarcely more than adaptations, mere boyish attempts at play-writing. This applies particularly to *Ataulfo* and *Doña Blanca*, which were never performed or published, and of which only certain fragments have survived. Three youthful comedias, however, did find their way into print (and even onto the boards), *Aliatar* (1816), *El Duque de Aquitania* (1817), and *Malêk-Adhêl* (1818), though they are little more than imitations of certain Italian and French models. Just as undistinguished are *Lanuza*, composed five years later (1823), dealing with contemporary political conditions in Spain, and *Arias Gonzalo* (1827), a florid, bombastic drama, with certain signs, however, here and there, of a break with classical tradition. *Tanto vales cuanto tienes* (written in 1828, but not published until 1840) is a fairly interesting play, a comedy in the manner of Moratín and Bretón, skilfully constructed, and showing considerable dexterity in bringing about a comic situation. But none of these comedias prepare one for so capital a play as *Don Álvaro*, next to follow in chronological order.

Just how Rivas came to write *Don Álvaro* is still a moot question. The supposition is, — the French Romantic movement being then at its height, — that the clamorous success of Victor Hugo's *Hernani* (1830) at the Théâtre Français stimulated his desire to create a similar hero for the Spanish theatre. Saavedra was in France at the time of the memorable performance of Hugo's revolutionary drama, in fact during a considerable period of the literary war raging there.

It was the period everywhere of Romanticism's particular vogue, the period of new literary forms, ideas and ideals. Romanticism was "in the air," so to speak, the subject discussed in every *salon*, in every literary circle, in every newspaper. All contemporary literature underwent a revolution. There was a general protest against the rigid rules of Neo-classicism, a revolt which had begun to bear fruit in most European literatures. To the Romantic spirit, conventional polished classicism with its artificial beauty had dominated long enough; it was time to throw the old technique overboard and to try new models, new literary forms, unhampered by rules. The conventional models of pagan and classical antiquity, the authoritatively prescribed and selected subjects, gave way to new *genres* and particularly to the picturesque heroic figures of the medieval legend. Adherence to the time-honored three unities, so dear especially to the French literature of the 17th century, was no longer thought of; the former perfect literary expression in dramatic composition became a mixture of prose and verse, in which versification in absolute unrestraint took on whatever form the young enthusiasts of the new Romantic school desired to choose; the objective treatment of the story, hitherto carefully observed, now assumed a very personal character, according to the exuberant fancy of the author who was determined at all costs "to express himself," to portray his ideas in a manner most sympathetic and congenial to his ideals.

*Don Álvaro*, in all respects, combining as it does the characteristic elements of this literary revolt, stands thus as the most typical of the Spanish Romantic dramas, and as the very antithesis of the conventional academic comedia. Here was Rivas' opportunity and in his drama, in form and content, he took advantage of it to the fullest extent. Small wonder, therefore, that this revolutionary play, at its initial performance at the *Teatro del Príncipe* in Madrid on March 22nd, 1835, created a sensation not unlike the stormy first reception of *Hernani* in Paris, and that it centered the chief interest henceforth on Rivas among contemporary Spanish dramatists.

As to the source of *Don Álvaro* and its possible influences, no two critics are agreed. While influences of Shakespeare and Victor Hugo can readily be traced, and while certain striking coincidents and parallels of Byron's *Manfred* and Prosper Mérimée's *Âmes du Purgatoire*, have been pointed out, these resemblances may be casual. According to Alcalá Galiano, Rivas' friend and fellow-exile, the particular source of *Don Álvaro* is that of a fantastic tale he heard as a child in Córdoba, a fanciful legend in which the central figure was an *indiano*. That story took tremendous hold of the susceptible youngster, and in subsequent years Don Ángel decided to weave a drama about it, and his opportunity came while in exile. He intended to have the play, — the first draft of which, in prose, dates from 1831, — performed in Paris (and it is said that Mérimée translated it into French), but nothing came of it. The manuscript was lost, or burned, and the drama was entirely rewritten, in its present combination of prose and verse, soon after Don Ángel's return to Spain.

The central theme of *Don Álvaro*, as indicated in the sub-title, is *la fuerza del sino*, the fatalistic *motif*. Rivas was always attracted to this aspect of the Moorish religious views with its conception of predestination, just as the classical drama never lost its interest for him (and the *Oedipus Tyrannus* must have loomed large in his reading). Implacable Fate, as we have seen, is the *Leitmotif* in several of his lyrics dealing with the Mohammedan era in Spain, and especially in *El Moro expósito*. But Rivas' particular problem in *Don Álvaro*, a drama breathing the deepest religious spirit, was the need of reconciling, somehow, this "force of Destiny," this "influence of the stars" (which crops up everywhere in the play), this "inexorable Fate" against which mortal effort is in vain, with Christian theology (Rivas himself was an orthodox Catholic), — two views which, assuredly, do not go hand in hand. It can hardly be affirmed that this problem in the play finds a wholly satisfactory solution, or that there is not left a perplexing dilemma with the climax of the last act, the dramatic suicide of the hero, a crime through which he must of necessity forfeit eternal life, though the chorus of friars invokes Divine *misericordia*. In a similar dilemma, Goethe, it will be remembered (in the finale of *Faust*, Part I), after Gretchen's crime and incarceration, resorts to the supernatural, and the heroine is not doomed to perdition as we learn from "the voice above" ("*Ist gerettet*"). No such consoling *dénouement* meets us in *Don Álvaro*, and our hero presumably goes to perdition, — which, perhaps, makes the final scene all the more dramatic. For the rest, the stagecraft of the drama is admirable, more especially in the development of plot and counterplot and the mastery of detail, in the picturesqueness of description, in its local color, in the consummate artistry of phrase and rhyme, and the fine contrast of situation.

Nevertheless, it may frankly be said, that there is

something unconvincing to us today about the type of Romantic drama chiefly represented in such plays as that of the present text, or in other contemporary Romantic plays, such as *Los Amantes de Teruel*, or *El Trovador*, and we find it difficult at times to bring toward them the proper spirit and understanding. We have lost feeling, so to speak, for this *genre*, and all attempts at a "revival," on the part of the modern cinema for example, appear futile. This, however, does not necessarily apply to Spain where the Romantic drama since the days of the Golden Age was never a stranger, and where *Don Álvaro* still holds the boards. Nor does it apply to the opera, since Verdi's *La Forza del Destino* (based on *Don Álvaro*), and *Il Trovatore* (based on Gutiérrez's Romantic drama), continue to delight audiences everywhere.

Little need be said of the plays subsequent to *Don Álvaro*. They are more or less perfunctory, none even fairly approaching, either in importance or appeal, Rivas' masterpiece. *Solaces de un prisionero o tres noches de Madrid* (1841), deals with the escapades of King Francis I of France and King Charles the Fifth; *La Morisca de Alajuar* (1841), treats of the rebellion and expulsion of the Moriscos in Valencia in 1609; *El Crisol de la Lealtad* (1842), is based on a play of Alarcón's and centers about an historic episode in the reign of King Alfonso I of Aragón. *El Desengaño en un Sueño* (1842) is, perhaps, Rivas' best effort in the field of the drama next to *Don Álvaro*. It is likewise a Romantic play in which the Fate *motif* again figures prominently. Symbolic in character, in the manner of Calderón's *La Vida es sueño*, on which, as its title shows, it is obviously modelled, though, literally, based on an unimportant comedia of the 18th century, it is by no means an unworthy successor of *Don Álvaro*. With an undistinguished comedy in three acts, somewhat farcical in character, *El Parador de Bailén*, Rivas' dramatic productions come to a close.

## VERSIFICATION

ONLY the briefest treatise on the rather involved subject of Spanish Versification is possible here, and only as applying to the present text, as it is taken for granted that the student, by the time he approaches the study of such a play as *Don Álvaro*, is familiar with the fundamental principles of Spanish verse-forms. For more detailed information, such textbooks are recommended as J. D. M. Ford's *Spanish Anthology* (pp. xxi–xlvii); Hills and Morley's *Modern Spanish Lyrics* (pp. xliii–lxxxiii); Rufino Blanco, *Elementos de Literatura Española* (pp. 39–49); F. Benot, *Prosodia Castellana y Versificación*, and Andrés Bello, *Ortología y Métrica* (Vol. V of his *Obras completas*).

It must be remembered that while in English poetry the number of feet to the line, in a certain group of syllables stressed variously (with considerable freedom in the matter of accent), is the essential matter, in Spanish verse there exists a rigid rule with regard to the number of syllables to the line. The counting of the syllables themselves is subject to particular rules, for two, three or more contiguous vowels may count as one syllable, and elision may or may not take place with specific combinations. Especially important in this regard is *Synaloepha*, which generally occurs when the final vowel or diphthong of one word and the initial vowel or diphthong of a word immediately following in the same line combine to form one syllable; while *Hiatus* occurs when the final vowel of one word and the initial vowel of the immediately following word form separate syllables.

Moreover, in Spanish poetry there are two kinds of rhyme, the assonantal and consonantal. The latter is practically the same as in English, but the assonantal verse has great variety in its number of syllables.

In the present text the eight-syllabled (octosyllabic) group of assonantal rhyme prevails, the favorite traditional *Romance* measure of the old legends. Rivas' predilection for this ancient ballad metre, has been pointed out in the Introduction. He has employed it most effectively in *Don Álvaro*, in a remarkable variety of vowel combinations (*a-e*, *e-o*, *i-o*, *a-a*, *e-a*, *a-o*). Assonance, it will be observed, implies a correspondence of the vowels, not of the consonants, and the assonance takes place in the last accented syllable and the last syllable of the line.

In the *Romance Real* — there is only one such group (in *e-a* assonance) in *Don Álvaro* — the lines are eleven-syllabled (hendecasyllabic).

The *Redondilla* stanza, which next to the *Romance* occurs most frequently in our text, as it is, indeed, the most popular and characteristic of all the Spanish metres, is a quatrain of four eight-syllabled verses, in which the first line stands in consonantal rhyme with the fourth, and the second line with the third, thus: *a b b a*. The rhymes may alternate in the *re-*

*dondilla*, and there may also be verses of six syllables, or of even shorter length (the so-called *redondilla menor*), but in *Don Álvaro* the octosyllabic lines (*redondilla mayor*) prevail.

The *Quintilla* is a stanza of five lines, generally eight-syllabled verses, of only two consonantal rhymes, so distributed that no more than two ever come together in various arrangements. In our text they are grouped thus: *a b b a a*, *a a b b a*.

The *Endechas* are seven-syllabled quatrains, mainly employed in matter of serious, elegiac, or similar content. In our text we have *Endechas Reales*, *i.e.*, strophes with an eleven-syllabled line in each quatrain.

*Sextas Rimas*, (according to the authoritative Rengifo, *Arte Poética Española*, 1703, p. 91), are generally in the arrangement found in *Don Álvaro*, *i.e.*: *a b a b c c*, but not in the number of syllables found in our text; at least, no such rhyme-scheme is given in Rengifo. Likely as not, they represent a poetic license on the part of our author.

*Seguidillas* are stanzas of seven lines, usually consisting of a quatrain of alternating seven-syllabled and five-syllabled verses, with the second and fourth verse in assonance. It is an old Spanish form still popular as a song and dance.

The *Silva* is a free composition, without fixed order, usually consisting of eleven-syllabled lines intermingling with lines of seven syllables, with some of the lines often left unrhymed. In the present text, the order usually is a combination of a *redondilla* and *pareado* (couplet).

# METRICAL SCHEME

## JORNADA PRIMERA

| LINES | |
|---|---|
| 1–238 | PROSE |
| 239–326 | REDONDILLAS: *a b b a* |
| 327–478 | ROMANCE, *assonante in a-e* |
| 479–579 | SILVA: *redondillas and pareados* |
| 580–665 | PROSE |

## JORNADA SEGUNDA

| | |
|---|---|
| 1–14 | SEGUIDILLAS |
| 15–255 | PROSE |
| 256–275 | QUINTILLAS: *a b b a a, a a b b a* |
| 276–303 | REDONDILLAS: *a b b a* |
| 304–371 | SEXTAS RIMAS: *a b a b c c* |
| 372–409 | PROSE |
| 410–425 | ENDECHAS REALES |
| 426–449 | REDONDILLAS: *a b b a* |
| 450–499 | ROMANCE, *assonante in e-o* |
| 500–665 | ROMANCE, *assonante in i-o* |
| 666–693 | ROMANCE, *assonante in a-a* |
| 694–751 | ROMANCE REAL, *assonante in e-a* |
| 752–767 | REDONDILLAS: *a b b a* |

## JORNADA TERCERA

| | |
|---|---|
| 1–32 | PROSE |
| 33–93 | REDONDILLAS:[1] *a b b a* |
| 94–203 | QUINTILLAS: *a b b a a, a a b b a* |

[1] line 57 is irregular

| | |
|---|---|
| 204–304 | REDONDILLAS:[1] *a b b a* |
| 305–359 | PROSE |
| 360–469 | ROMANCE, *assonante in e-o* |
| 470–605 | REDONDILLAS: *a b b a* |

## JORNADA CUARTA

| | |
|---|---|
| 1–276 | REDONDILLAS: *a b b a* |
| 277–395 | PROSE |
| 396–415 | ROMANCE, *assonante in e-o* |
| 416–460 | ROMANCE,[2] *assonante in e-a* |
| 461–476 | ROMANCE, *assonante in a-o* |
| 477–524 | ROMANCE, *assonante in e-o* |
| 525–579 | SILVA, *redondillas and pareados* |
| 580–637 | ROMANCE, *assonante in e-a* |
| 638–649 | PROSE |
| 650–655 | SILVA |

## JORNADA QUINTA

| | |
|---|---|
| 1–178 | PROSE |
| 179–230 | REDONDILLAS: *a b b a* |
| 231–240 | QUINTILLAS: *a b b a a, a a b b a* |
| 241–314 | ROMANCE, *assonante in a-e* |
| 315–408 | ROMANCE, *assonante in u-a* |
| 409–423 | PROSE |
| 424–459 | REDONDILLAS: *a b b a* |
| 460–597 | ROMANCE,[3] *assonante in a-e* |
| 598–682 | PROSE |

[1] lines 243 and 248 are irregular
[2] line missing between 449 and 450
[3] line 547 is irregular

# BIBLIOGRAPHY

By far the most important of the commentaries and critical estimates that have been published on our author is the brilliant study by E. Allison Peers in the *Revue Hispanique*, *Tome* LVIII, *Num.* 133–134, 1923, entitled: *Ángel de Saavedra, Duque de Rivas. A Critical Study.* (600 pages.)

For further study of the life and works of the Duque de Rivas, and for the study of the Spanish Romantic movement, aside from such manuals on Spanish Literature as Fitzmaurice-Kelly, Cejador y Frauca, Blanco García, Hurtado y Palencia and Salcedo Ruiz, the following works may profitably be consulted:


L. A. de Cueto, *Examen del Don Álvaro o la Fuerza del Sino*, in *El Artista*, Sevilla, 1835. Vol. III, p. 106 ff.

Fermín Gonzalo Morón, *El Duque de Rivas considerado como poeta dramático*, in *Revista de España y del Extranjero*, Vol. IX, Madrid, 1844, p. 42 ff., 117 ff. and 356 ff.

Gavino Tejado, *Escritores Contemporáneos: El Duque de Rivas*, in *El Siglo Pintoresco*, Madrid, 1845, Vol. I, p. 220 ff.

Charles de Mazade, *Poètes modernes de l'Espagne. Le Duc de Rivas*, in *Revue des Deux Mondes, Tom. XIII*, 1846, pp. 321 ff.

José Amador de los Ríos, *Discurso en elogio del Duque de Rivas*, 1866, in *Discursos leídos en las recepciones y actos públicos celebrados por la Academia de Nobles Artes de San Fernando.*

L. A. de Cueto, *Discurso necrológico-literario en elogio del Duque de Rivas*, in *Memorias de la Academia Española*, Madrid, 1870, Vol. II, pp. 498–601.

Menéndez y Pelayo, *Historia de las ideas estéticas en España*, Madrid, 1883–1891, 2d. edition, Vol. VI, 1904 and Vol. VII, 1907.

*Autores dramáticos contemporáneos y joyas del teatro español del siglo XIX*, Madrid, 1882–1885. 2 Vols., (Vol. I, 1884, pp. 1–79, contains *Don Álvaro*, edited by Manuel Cañete).

*Obras Completas de D. Ángel de Saavedra, Duque de Rivas.* (Edition of the Real Academia Española), Madrid, 1884–1885. (Vol. II contains *Don Álvaro*.)

DUQUE DE RIVAS, *Obras Completas*, 7 Vols., (*Colección de Escritores Castellanos*), Madrid, 1894–1904. (Vol. VI, *Dramas y Comedias*, 1902, contains *Don Álvaro o la Fuerza del Sino*.)

JUAN VALERA, *Crítica literaria*, 1887–1889. (Vol. XXVII, pp. 71–196, of his *Obras Completas*, deals with the Duque de Rivas.)

FRANCISCO BLANCO GARCÍA, *Triunfo del Romanticismo: El Duque de Rivas*, in *La Ciudad de Dios*, 1888, Vol. XV, pp. 452–459 and 529–540.

RAMÓN MENÉNDEZ PIDAL, *La Leyenda de los Infantes de Lara*, Madrid, 1896.

E. FUNES, *Don Álvaro, estudio crítico*, Cádiz, 1899.

JUAN VALERA, *Florilegio de Poesías Castellanas del Siglo XIX*, Madrid, 1902, pp. 88–102.

E. PIÑEYRO, *El Romanticismo en España*, Paris, 1904, pp. 51–93.

NARCISO JOSÉ DE LIÑÁN Y HEREDIA, *Los Duques de Rivas, Ángel y Enrique, como poetas*, in *La España Moderna*, 1905, pp. 111–129.

RAMÓN MENÉNDEZ PIDAL, *L'Épopée Castillane à travers la littérature espagnole.* (Transl. by Henri Mérimée, Paris, 1910. *Cf.* Chap. VII, *La matière épique dans la poésie moderne.*)

DUQUE DE RIVAS, *Romances* (edited by Cipriano de Rivas Cherif), Madrid, 1912. (Vol. IX and XII of *Clásicos Castellanos.*)

"Azorín," *Rivas y Larra, razón social del Romanticismo en España*, Madrid, 1916.

"Azorín," *El Duque de Rivas*, in *Clásicos y Modernos*, Madrid, 1919, pp. 55–63 and pp. 268–272.

MARIO MÉNDEZ BEJARANO, *La Literatura española en el siglo XX*, Madrid, 1921.

NICHOLSON B. ADAMS, *The Romantic Dramas of García Gutiérrez*, New York, 1922.

E. Allison Peers, *Rivas and Romanticism in Spain*, Liverpool, 1923.

César Barja, *Libros y Autores Modernos*, New York, 1924. (Chap. VIII & IX, pp. 147–198.)

George Tyler Northup, *An Introduction to Spanish Literature*, Chicago, 1925. (Chap. XX, pp. 339–363.)

Gabriel Boussagol, *Ángel de Saavedra, Duc de Rivas, Essai de Bibliographie Critique*, in *Bulletin Hispanique*, Tome XXIX, No. 1, Janvier-Mars, 1927. (This important study, which appears just as the present text goes to press, is the most complete bibliography of the Duque de Rivas yet published.)

# WORKS OF THE DUQUE DE RIVAS

1814. POESÍAS. (Cádiz.)

1816. ALIATAR, Tragedia en cinco actos. (Sevilla.)

1820–21. POESÍAS. 2 Vols. (Madrid.)

1834. EL MORO EXPÓSITO, O CÓRDOBA Y BURGOS EN EL SIGLO DÉCIMO. Leyenda en doce romances. (Paris.)

1835. DON ÁLVARO, O LA FUERZA DEL SINO. Drama original en cinco jornadas, y en prosa y verso. (Madrid.)

1840. TANTO VALES CUANTO TIENES. Comedia en tres actos y en verso. (Madrid.)

1841. ROMANCES HISTÓRICOS. (Madrid & Paris.)

1841. LA MORISCA DE ALAJUAR. Comedia en tres jornadas. (Madrid.)

1841. SOLACES DE UN PRISIONERO, O TRES NOCHES DE MADRID. Comedia en tres jornadas. (Madrid.)

1842. EL CRISOL DE LA LEALTAD. Comedia en tres jornadas. (Madrid.)

1844. EL DESENGAÑO EN UN SUEÑO. Drama fantástico en cuatro actos. (Madrid.)

1844. EL PARADOR DE BAILÉN. Comedia en tres actos. (Madrid.)

1848. SUBLEVACIÓN DE NÁPOLES, el año 1647. Estudio histórico. 2 Vols. (Madrid.)

1851. EL CREPÚSCULO DE LA TARDE. Versos. (Madrid.)

# DON ÁLVARO

## O

# LA FUERZA DEL SINO

## DRAMA ORIGINAL

EN CINCO JORNADAS EN PROSA Y VERSO

DE

## DON ÁNGEL DE SAAVEDRA

### DUQUE DE RIVAS

**ESTE DRAMA SE ESTRENÓ EN MADRID EN EL TEATRO DEL PRÍNCIPE LA NOCHE DEL 22 DE MARZO DE 1835**

## PERSONAJES [1]

Don Álvaro
El Marqués de Calatrava
Don Carlos de Vargas, *su hijo*
Don Alfonso de Vargas, *ídem*
Doña Leonor, *ídem*
Curra, *criada*
Preciosilla, *gitana*
Un Canónigo
El Padre Guardián del convento de los Ángeles
El Hermano Melitón, *portero del mismo*
Pedraza y otros oficiales
Un Cirujano de Ejército
Un Capellán de Regimento
Un Alcalde
Un Estudiante
Un Majo
Mesonero
Mesonera
La Moza del mesón
El Tío Trabuco, *arriero*
El Tío Paco, *aguador*
El Capitán Preboste
Un Sargento
Un Ordenanza a caballo
Dos habitantes de Sevilla
Soldados españoles, arrieros, lugareños y lugareñas

Los trajes son los que se usaban a mediados del siglo pasado.

# DON ÁLVARO
## O
## LA FUERZA DEL SINO

## JORNADA PRIMERA

### LA ESCENA ES EN SEVILLA [1] Y SUS ALREDEDORES

La escena representa la entrada del antiguo puente de barcas de Triana,[2] el que estará practicable a la derecha. En primer término, al mismo lado, un aguaducho o barraca de tablas y lonas, con un letrero que diga: *Agua de Tomares;*[3] dentro habrá un mostrador rústico con cuatro grandes cántaros, macetas de flores, vasos, un anafre con una cafetera de hoja de lata y una bandeja con azucarillos. Delante del aguaducho habrá bancos de pino. Al fondo se descubrirá de lejos parte del Arrabal de Triana,[4] la Huerta de los Remedios [5] con sus altos cipreses, el río y varios barcos en él, con flámulas y gallardetes. A la izquierda se verá en lontananza la Alameda.[6] Varios habitantes de Sevilla cruzarán en todas direcciones durante la escena. El cielo demostrará el ponerse el sol [7] en una tarde de julio, y al descorrerse el telón aparecerán: EL TÍO PACO detrás del mostrador, en mangas de camisa; EL OFICIAL, bebiendo un vaso de agua y de pie; PRECIOSILLA, a su lado, templando una guitarra; EL MAJO y los DOS HABITANTES DE SEVILLA sentados en los bancos.

### ESCENA PRIMERA

*Oficial.* Vamos, Preciosilla, cántanos la rondeña. Pronto, pronto ; ya está bien templada.

*Preciosilla.* Señorito, no sea su merced tan

súpito. Deme antes esa mano, y le diré la buenaventura.

*Oficial.* Quita, que [1] no quiero tus zalamerías. Aunque efectivamente tuvieras la habilidad de decirme lo que me ha de suceder, no quisiera oírtelo . . . Sí, casi siempre conviene el ignorarlo.

*Majo.* (*Levantándose.*) Pues yo quiero que me diga la buenaventura esta prenda. He aquí mi mano.

*Preciosilla.* Retire usted allá esa porquería . . . ¡ Jesús ! ni verla quiero,[2] no sea que se encele aquella niña de los ojos grandes.

*Majo.* (*Sentándose.*) ¡ Qué se ha de encelar de ti, pendón ! [3]

*Preciosilla.* Vaya, saleroso, no se cargue usted de estera, convídeme a alguna cosita.

*Majo.* Tío Paco, dele usted un vaso de agua a esta criatura, por mi cuenta.

*Preciosilla.* ¿ Y con panal ?

*Oficial.* Sí, y después que te refresques el garguero y que te endulces la boca, nos cantarás las corraleras. (*El aguador sirve un vaso de agua con panal a Preciosilla, y el Oficial se sienta junto al Majo.*)

*Habitante 1.º* ¡ Hola ! Aquí viene el señor canónigo.

## ESCENA II

*Canónigo.* Buenas tardes, caballeros.

*Habitante 2.º* Temíamos no tener la dicha de ver a su merced esta tarde, señor canónigo.

*Canónigo.* (*Sentándose y limpiándose el sudor.*) ¿ Qué persona de buen gusto, viviendo en Sevilla, puede dejar de venir todas las tardes de verano a beber la deliciosa agua de Tomares, que con tanta limpieza y pulcritud nos da el Tío Paco, y a ver un ratito este puente de Triana, que es lo mejor del mundo? 35

*Habitante 1.º* Como ya se está poniendo el sol... 40

*Canónigo.* Tío Paco, un vasito de la fresca.

*Tío Paco.* Está usía [1] muy sudado; en descansando [2] un poquito le daré el refrigerio.

*Majo.* Dale a su señoría agua templada.

*Canónigo.* No, que hace mucho calor. 45

*Majo.* Pues yo templada la he bebido, para tener el pecho suave, y poder entonar el rosario por el Barrio de la Borcinería, [3] que a mí me toca esta noche.

*Oficial.* Para suavizar el pecho, mejor es un trago de aguardiente. 50

*Majo.* El aguardiente es bueno para sosegarlo después de haber cantado la letanía.

*Oficial.* Yo lo tomo antes y después de mandar el ejercicio. 55

*Preciosilla.* (*Habrá estado punteando la guitarra y dirá al Majo:*) Oiga usted, rumboso, ¿y cantará usted esta noche la letanía delante del balcón de aquella persona...?

*Canónigo.* Las cosas santas, se han de tratar santamente. Vamos, ¿y qué tal los toros de ayer? 60

*Majo.* El toro berrendo de Utrera [4] salió un buen bicho, muy pegajoso... Demasiado.

*Habitante 1.º* Como que se me figura que le tuvo usted asco. 65

*Majo.* Compadre, alto allá, que yo soy muy duro de estómago . . . Aquí está mi capa (*Enseña un desgarrón*), diciendo por esta boca que no anduvo muy lejos.

70 *Habitante 2.º* No fué la corrida tan buena como la anterior.

*Preciosilla.* Como que ha faltado en ella don Álvaro, el indiano, que a caballo y a pie es el mejor torero que tiene España.

75 *Majo.* Es verdad que es todo un hombre, muy duro con el ganado y muy echado adelante.

*Preciosilla.* Y muy buen mozo.

*Habitante 1.º* ¿ Y por qué no se presentaría ayer en la plaza ?

80 *Oficial.* Harto tenía que hacer con estarse llorando el mal fin de sus amores.

*Majo.* Pues qué, ¿ lo ha plantado ya la hija del señor Marqués . . . ?

*Oficial.* No, doña Leonor no lo ha plantado a él,
85 pero el Marqués la ha trasplantado a ella.

*Habitante 2.º* ¿ Cómo . . . ?

*Habitante 1.º* Amigo, el señor Marqués de Calatrava tiene mucho copete y sobrada vanidad para permitir que un advenedizo sea su yerno.

90 *Oficial.* ¿ Y qué más podía apetecer su señoría que el ver casada a su hija (que con todos sus pergaminos está muerta de hambre) con un hombre riquísimo, y cuyos modales están pregonando que es un caballero ?

95 *Preciosilla.* ¡ Si los señores de Sevilla son vanidad y pobreza, todo en una pieza ! Don Álvaro es digno de ser marido de una emperadora . . .

¡ Qué gallardo . . . ! ¡ Qué formal y qué generoso . . . ! Hace pocos días que le dije la buenaventura (y por cierto no es buena la que le espera, si las 100 rayas de la mano no mienten), y me dió una onza de oro como un sol de mediodía.

*Tío Paco.* Cuantas veces viene aquí a beber, me[1] pone sobre el mostrador una peseta columnaria.

*Majo.* ¡ Y vaya un hombre valiente ![2] Cuando 105 en la Alameda Vieja[3] le salieron aquella noche los siete hombres más duros que tiene Sevilla, metió mano y me[1] los acorraló a todos contra las tapias del picadero.

*Oficial.* Y en el desafío que tuvo con el capitán 110 de artillería se portó como un caballero.

*Preciosilla.* El Marqués de Calatrava es un vejete tan ruin, que por no aflojar la mosca, y por no gastar . . .

*Oficial.* Lo que debía hacer don Álvaro era darle 115 una paliza que . . .

*Canónigo.* Paso, paso, señor militar. Los padres tienen derecho de casar a sus hijas con quien les convenga.

*Oficial.* ¿ Y por qué no le ha de convenir don 120 Álvaro ? ¿ Porque no ha nacido en Sevilla . . . ? Fuera de Sevilla nacen también caballeros.

*Canónigo.* Fuera de Sevilla nacen también caballeros, sí señor ; pero . . . ¿ lo es don Álvaro[4] . . . ? Sólo sabemos que ha venido de 125 Indias hace dos meses, y que ha traído dos negros y mucho dinero . . . ¿ Pero quién es . . . ?

*Habitante 1.º* Se dicen tantas y tales cosas de él[5]. . .

130 *Habitante 2.º* Es un ente muy misterioso.

*Tío Paco.* La otra tarde estuvieron aquí unos señores hablando de lo mismo, y uno de ellos dijo que el tal don Álvaro había hecho sus riquezas siendo [1] pirata . . .

135 *Majo.* ¡ Jesucristo !

*Tío Paco.* Y otro, que don Álvaro era hijo bastardo de un grande de España y de una reina mora . . .

*Oficial.* ¡ Qué disparate !

140 *Tío Paco.* Y luego dijeron que no,[2] que era . . . no lo puedo declarar . . . finca . . . o brinca . . . una cosa así . . . así como . . . una cosa muy grande allá de la otra banda.

*Oficial.* ¿ Inca ?

145 *Tío Paco.* Sí, señor, eso [3]: Inca . . . Inca.

*Canónigo.* Calle usted, Tío Paco, no diga sandeces.

*Tío Paco.* Yo nada digo, ni me meto en honduras; para mí cada uno es hijo de sus obras,[4] y en 150 siendo buen cristiano y caritativo . . .

*Preciosilla.* Y generoso y galán.

*Oficial.* El vejete roñoso del Marqués de Calatrava hace muy mal en negarle su hija.

*Canónigo.* Señor militar, el señor Marqués hace 155 muy bien. El caso es sencillísimo. Don Álvaro llegó hace dos meses; nadie sabe quién es. Ha pedido el casamiento a doña Leonor, y el Marqués, no juzgándolo buen partido para su hija, se la ha negado. Parece que la señorita estaba encaprícha-160 dilla, fascinada, y el padre la ha llevado al campo, a la hacienda que tiene en el Aljarafe,[5] para distraerla. En todo lo cual el señor Marqués se ha portado como persona prudente.

*Oficial.* ¿ Y don Álvaro, qué hará ?

*Canónigo.* Para acertarlo debe buscar otra novia; porque si insiste en sus descabelladas pretensiones, se expone a que los hijos del señor Marqués vengan, el uno de la Universidad, y el otro del regimiento, a sacarle de los cascos los amores de doña Leonor. 165 170

*Oficial.* Muy partidario soy de don Álvaro, aunque no le he hablado en mi vida, y sentiría verlo empeñado en un lance con don Carlos, el hijo mayorazgo del Marqués. Le he visto el mes pasado en Barcelona, y he oído contar los dos últimos desafíos que ha tenido ya, y se le puede ayunar. 175

*Canónigo.* Es uno de los oficiales más valientes del regimiento de Guardias Españolas, donde no se chancea en esto de lances de honor.

*Habitante* 1.º Pues el hijo segundo del señor Marqués, el don [1] Alfonso, no le va en zaga. Mi primo, que acaba de llegar de Salamanca, me ha dicho que es el coco de la Universidad, más espadachín que estudiante, y que tiene metidos en un puño a los matones sopistas. 180 185

*Majo.* ¿ Y desde cuándo está fuera de Sevilla la señorita doña Leonor ?

*Oficial.* Hace cuatro días que se la llevó el padre a su hacienda, sacándola de aquí a las cinco de la mañana, después de haber estado toda la noche hecha la casa un infierno. 190

*Preciosilla.* ¡ Pobre niña . . . ! ¡ Qué linda que es y qué salada . . . ! Negra suerte le espera . . . Mi

madre le dijo la buenaventura, recién nacida,[1] y
195 siempre que la nombra se le saltan las lágrimas . . .
Pues el generoso don Álvaro . . .

*Habitante 1.º* En nombrando el ruin de Roma, luego asoma[2] . . . ; allí viene don Álvaro.

## ESCENA III

Empieza a anochecer, y se va obscureciendo el teatro. DON ÁLVARO sale embozado en una capa de seda, con un gran sombrero blanco, botines y espuelas; cruza lentamente la escena mirando con dignidad y melancolía a todos lados, y se va por el puente. Todos lo observan en gran silencio.

## ESCENA IV

*Majo.* ¿ Adónde irá[3] a estas horas ?

200 *Canónigo.* A tomar el fresco al Altozano.[4]

*Tío Paco.* Dios vaya con él.

*Militar.* ¿ A qué va al Aljarafe ?

*Tío Paco.* Yo no sé, pero como estoy siempre aquí de día y de noche, soy un vigilante centinela
205 de cuanto pasa por esta puente . . . Hace tres días que a media tarde pasa por ella hacia allá un negro con dos caballos de mano, y que don Álvaro pasa a estas horas ; y luego, a las cinco de la mañana, vuelve a pasar hacia acá, siempre a pie, y como
210 media hora después, pasa el negro con los mismos caballos llenos de polvo y de sudor.

*Canónigo.* ¿ Cómo . . . ? ¿ Qué me cuenta usted, Tío Paco . . . ?

*Tío Paco.* Yo nada, digo lo que he visto ; y esta
215 tarde ya ha pasado el negro, y hoy no lleva dos caballos, sino tres.

*Habitante 1.º* Lo que es atravesar el puente hacia

allá a estas horas, he visto yo a don Álvaro tres tardes seguidas.

*Majo.* Y yo le he visto ayer a la salida de Triana al negro con los caballos. 220

*Habitante 2.°* Y anoche, viniendo[1] yo de San Juan de Alfarache,[2] me paré en medio del olivar a apretar las cinchas a mi caballo, y pasó a mi lado, sin verme y a escape, don Álvaro, como alma que llevan los demonios, y detrás iba el negro. Los conocí por la jaca torda, que no se puede despintar . . . ¡ Cada relámpago que daban las herraduras[3] . . .! 225

*Canónigo.* (*Levantándose y aparte.*) ¡ Hola ! ¡ hola . . . ! Preciso es dar aviso al señor Marqués. 230

*Militar.* Me alegrara de que la niña traspusiese una noche con su amante, y dejara al vejete pelándose las barbas.

*Canónigo.* Buenas noches, caballeros ; me voy, que empieza a ser tarde. (*Aparte, yéndose.*) Sería faltar a la amistad no avisar al instante al Marqués de que don Álvaro le ronda la hacienda. Tal vez podemos evitar una desgracia. 235

## ESCENA V

El teatro representa una sala colgada de damasco, con retratos de familia, escudos de armas y los adornos que se estilaban en el siglo pasado, pero todo deteriorado, y habrá dos balcones, uno cerrado y otro abierto y practicable, por el que se verá un cielo puro, iluminado por la luna, y algunas copas de árboles. Se pondrá en medio una mesa con tapete de damasco, y sobre ella habrá una guitarra, vasos chinescos con flores, y dos candeleros de plata con velas, únicas luces que alumbrarán la escena. Junto a la mesa habrá un sillón. Por la izquierda entrará el MARQUÉS DE CALATRAVA con una palmatoria en la mano, y detrás de él DOÑA LEONOR, y por la derecha entra la criada.

*Marqués* (*Abrazando y besando a su hija.*)
Buenas noches, hija mía;
240 hágate una santa el cielo.
Adiós, mi amor, mi consuelo,
mi esperanza, mi alegría.
No dirás que no es galán
tu padre. No descansara
245 si hasta aquí no te alumbrara
todas las noches . . . Están
abiertos estos balcones, (*Los cierra.*)
y entra relente . . . Leonor . . .
¿ Nada me dice tu amor ?
250 ¿ Por qué tan triste te pones ?

*D.ª Leonor* (*Abatida y turbada.*)
Buenas noches, padre mío.

*Marqués* Allá para Navidad
iremos a la ciudad,
cuando empiece el tiempo frío,
255 y para entonces traeremos
al estudiante, y también
al capitán. Que les den
permiso a los dos haremos.
¿ No tienes gran impaciencia
por abrazarlos ?

260 *D.ª Leonor* ¿ Pues no ?
¿ Qué más puedo anhelar yo ?

*Marqués* Los dos lograrán licencia.
Ambos tienen mano franca,
condición que les abona,
265 y Carlos, de Barcelona,

y Alfonso, de Salamanca,
ricos presentes te harán.
Escríbeles tú, tontilla,
y algo que no haya en Sevilla,
pídeles y lo traerán. 270

*D.ª Leonor* Dejarlo será mejor
a su gusto delicado.

*Marqués* Lo tienen, y muy sobrado;
como tú quieras, Leonor.

*Curra* Si como a usted, señorita, 275
carta blanca se me diera,
a don Carlos le pidiera
alguna bata bonita
de Francia. Y una cadena
con su broche de diamante 280
al señorito estudiante,
que en Madrid la hallará buena.[1]

*Marqués* Lo que gustes, hija mía.
Sabes que el ídolo eres
de tu padre . . . ¿ No me quieres? 285
(*La abraza y besa tiernamente.*)

*D.ª Leonor* ¡ Padre . . . ! ¡ Señor . . . ! (*Afligida.*)

*Marqués* La alegría
vuelva a ti, prenda del alma;
piensa que tu padre soy,
y que de continuo estoy
soñando tu bien . . . La calma 290
recobra, niña . . . En verdad
desde que estamos aquí

estoy contento de ti.
Veo la tranquilidad
295 que con la campestre vida
va renaciendo en tu pecho,
y me tienes satisfecho;
sí, lo[1] estoy mucho, querida.
Ya se me ha olvidado todo;
300 eres muchacha obediente,
y yo seré diligente
en darte un buen acomodo.
Sí, mi vida . . . ¿ Quién mejor
sabrá lo que te conviene,
305 que un tierno padre, que tiene
por ti el delirio mayor?

*D.ª Leonor* (*Echándose en brazos de su padre con gran desconsuelo.*)
¡ Padre amado . . . ! ¡ Padre mío . . . !

*Marqués* Basta, basta . . . ¿ Qué te agita?
(*Con gran ternura.*)
Yo te adoro, Leonorcita;
310 No llores. . . ¡ Qué desvarío!

*D.ª Leonor* ¡ Padre . . . ! ¡ Padre!

*Marqués* (*Acariciándola y desasiéndose de sus brazos.*)
Adiós, mi bien.
A dormir,[2] y no lloremos,
tus cariñosos extremos
el cielo bendiga, amén.

(*Vase el Marqués, y queda Leonor muy abatida y llorosa sentada en el sillón.*)

## ESCENA VI

(*Curra va detrás del Marqués, cierra la puerta por donde éste se ha ido, y vuelve cerca de Leonor.*)

*Curra* ¡ Gracias a Dios . . . ! Me[1] temí 315
que todito se enredase,
y que Señor[2] se quedase
hasta la mañana aquí.
¡ Qué listo cerró[3] el balcón . . . !
que por el del palomar 320
vamos las dos a volar,
le dijo su corazón.
Abrirlo sea lo primero ; (*Ábrelo.*)
ahora lo segundo es
cerrar las maletas. Pues 325
salgan ya de su agujero.

(*Saca Curra unas maletas y ropa y se pone a arreglar todo, sin que en ello[4] repare doña Leonor.*)

*D.ª Leonor* ¡ Infeliz de mí . . . ! ¡ Dios mío !
¿ Por qué un amoroso padre,
que por mí tanto desvelo
tiene, y cariño tan grande, 330
se ha de oponer tenazmente
(¡ Ay, el alma se me parte . . . !)
a que yo dichosa sea,
y pueda feliz llamarme . . . ?
¿ Cómo, quien tanto me quiere, 335
puede tan crüel mostrarse ?
Más dulce mi suerte fuera
si aun me[5] viviera mi madre.

*Curra* ¿ Si viviera la Señora . . . ?
340 Usted está delirante.
Más vana que Señor era ;
Señor al cabo es un ángel.
¡ Pero ella . . . ! Un genio tenía
y un copete . . . Dios nos guarde.
345 Los señores de esta tierra
son todos de un mismo talle.
Y si alguna señorita
busca un novio que le cuadre,
como no esté en pergaminos
350 envuelto, levantan tales
alaridos . . . ¿ Mas qué importa
cuando hay decisión bastante . . . ?
Pero no perdamos tiempo ;
venga usted, venga a ayudarme,
355 porque yo no puedo sola . . .

*D.ª Leonor* ¡ Ay, Curra . . . ! ¡ Si penetrases
cómo tengo el alma ! [1] Fuerza
me falta hasta para alzarme
de esta silla . . . ¡ Curra amiga !
360 Lo confieso, no lo extrañes :
no me resuelvo,[2] imposible . . .
Es imposible. ¡ Ay . . . ! ¡ Mi padre !
Sus palabras cariñosas,
sus extremos, sus afanes,
365 sus besos y sus abrazos,
eran agudos puñales
que el pecho me atravesaban.
Si se queda [3] un solo instante
no hubiera más resistido . . .

Ya iba a sus pies a arrojarme, 370
y confundida, aterrada,
mi proyecto a revelarle;
y a morir, ansiando sólo
que su perdón me acordase.

*Curra* ¡Pues hubiéramos quedado 375
frescas, y echando un buen lance!
Mañana vería usted
revolcándose en su sangre,
con la tapa de los sesos
levantada, al arrogante, 380
al enamorado, al noble
Don Álvaro. O arrastrarle [1]
como un malhechor, atado,
por entre estos olivares
a la cárcel de Sevilla; 385
y allá para Navidades
acaso, acaso en la horca . . .

*D.ª Leonor* ¡Ay, Curra . . . ! El alma me partes.

*Curra* Y todo esto, señorita,
Porque la desgracia grande 390
tuvo el infeliz de veros,[2]
y necio de enamorarse [3]
de quien no le corresponde,
ni resolución bastante
tiene para . . .

*D.ª Leonor* Basta, Curra; 395
no mi pecho despedaces.
¿Yo a su amor no correspondo?
Que le correspondo sabes . . .

Por él mi casa y familia,
400 mis hermanos y mi padre
voy a abandonar, y sola . . .

*Curra* Sola, no, que yo soy alguien,
y también Antonio va,
y nunca en ninguna parte
405 la dejaremos . . . ¡ Jesús !

*D.ª Leonor* ¿ Y mañana ?

*Curra* Día grande.
Usted la adorable esposa
será del más adorable,
rico y lindo caballero
410 que puede en el mundo hallarse,
y yo la mujer de Antonio :
y a ver tierras muy distantes
iremos ambas . . . ¡ Qué bueno !

*D.ª Leonor* ¿ Y mi anciano y tierno padre ?

*Curra* ¿ Quién . . . ? ¿ Señor . . . ? Rabiará un
415 poco,
pateará, contará el lance
al Capitán General
con sus pelos y señales ;
fastidiará al Asistente,
420 y también a sus compadres
el Canónigo, el Jurado
y los vejetes Maestrantes ;
saldrán mil requisitorias
para buscarnos en balde,
425 cuando nosotras estemos
ya seguritas en Flandes.

Desde allí escribirá usted,
y comenzará a templarse
Señor, y a los nueve meses,
cuando sepa hay [1] un infante 430
que tiene sus mismos ojos,
empezará a consolarse.
Y nosotras chapurrando,
que no nos entienda nadie,
volveremos de allí a poco, 435
a que con festejos grandes
nos reciban, y todito
será banquetes y bailes.

*D.ª Leonor* ¿ Y mis hermanos del alma ?

*Curra* ¡ Toma ! ¡ toma . . . ! Cuando agarren 440
del generoso cuñado,
uno con que hacer alarde
de vistosos uniformes,
y con que rendir beldades;
y el otro para libracos, 445
merendonas y truhanes,
reventarán de alegría.

*D.ª Leonor* No corre en tus venas sangre.
¡ Jesús, y qué cosas tienes ! [2]

*Curra* Porque digo las verdades. 450

*D.ª Leonor* ¡ Ay, desdichada de mí !

*Curra* Desdicha por cierto grande,
el ser adorado dueño
del mejor de los galanes.
Pero vamos, señorita, 455
ayúdeme usted, que es tarde.

*D.ª Leonor* Sí, tarde es, y aun no parece
don Álvaro . . . ¡ Oh, si faltase
esta noche . . . ! ¡ Ojalá . . . ! ¡ Cielos . . . !
460 Que jamás estos umbrales
hubiera pisado, fuera
mejor . . . No tengo bastante
resolución . . . Lo confieso.
Es tan duro el alejarse
465 así de su casa . . . ¡ Ay, triste !
(*Mira el reloj y sigue en inquietud.*)
Las doce han dado . . . ¡ Qué tarde
es ya, Curra ! No, no viene.
¿ Habrá en esos olivares
tenido [1] algún mal encuentro ?
470 Hay siempre en el Aljarafe
tan mala gente . . . ¿ Y Antonio
estará alerta ?

*Curra* Indudable
es que está de centinela . . .

*D.ª Leonor* ¡ Curra . . . ! ¿Qué suena . . . ? ¿Escuchaste?
(*Con gran sobresalto.*)

475 *Curra* Pisadas son de caballos.

*D.ª Leonor* ¡ Ay ! él es . . . (*Corre al balcón.*)

*Curra* Si que faltase
era imposible . . .

*D.ª Leonor* ¡ Dios mío ! (*Muy agitada.*)

*Curra* Pecho al agua, y adelante.[2]

## ESCENA VII

DON ÁLVARO en cuerpo, con una jaquetilla de mangas perdidas sobre una rica chupa de majo, redecilla, calzón de ante, etc., entra por el balcón y se echa en brazos de LEONOR.

*D. Álvaro* (*Con gran vehemencia.*)
¡ Ángel consolador del alma mía . . . !
¿ Van ya los santos cielos 480
a dar corona eterna a mis desvelos . . . ?
Me ahoga la alegría . . .
¿ Estamos abrazados
para no vernos nunca separados . . . ?
Antes, antes la muerte, 485
que de ti separarme y que perderte.

*D.ª Leonor* ¡ Don Álvaro ! (*Muy agitada.*)

*D. Álvaro* Mi bien, mi Dios, mi todo.
¿ Qué te agita y te turba de tal modo ?
¿ Te turba el corazón ver que tu amante
se encuentra en este instante 490
más ufano que el sol . . . ? ¡ Prenda adorada !

*D.ª Leonor* Es ya tan tarde . . .

*D. Álvaro* ¿ Estabas enojada
porque tardé en venir ? De mi retardo
no soy culpado, no ; dulce señora ;
hace más de una hora 495
que despechado aguardo
por estos rededores
la ocasión de llegar, y ya temía

que de mi adversa estrella los rigores
500 hoy deshicieran la esperanza mía.
Mas no, mi bien, mi gloria, mi consuelo;
protege nuestro amor el santo cielo,
y una carrera eterna de ventura,
próvido a nuestras plantas asegura.
505 El tiempo no perdamos.
¿ Está ya todo listo? Vamos, vamos.

*Curra* Sí: bajo del balcón, Antonio, el guarda,
las maletas espera;
las echaré al momento. (*Va hacia el balcón.*)

*D.ª Leonor* (*Resuelta.*) Curra, aguarda,
510 detente . . . ¡ Ay Dios! ¿ No fuera,
don Álvaro, mejor . . . ?

*D. Álvaro* ¿ Qué, encanto mío . . . ?
¿ Por qué tiempo perder? La jaca torda,
la que, cual dices tú, los campos borda,
la que tanto te agrada
515 por su obediencia y brío,
para ti está, mi dueño, enjaezada;
para Curra el overo,
para mí el alazán gallardo y fiero . . .
¡ Oh, loco estoy de amor y de alegría!
520 En San Juan de Alfarache, preparado
todo, con gran secreto, lo he dejado.
El sacerdote en el altar espera;
Dios nos bendecirá desde su esfera;
y cuando el nuevo sol en el Oriente,
525 protector de mi estirpe soberana,

numen eterno en la región indiana,[1]
la regia pompa de su trono ostente,
monarca de la luz, padre del día,
yo tu esposo seré, tú, esposa mía.

*D.ª Leonor* Es tan tarde . . . ¡ Don Álvaro !

*D. Álvaro* (*A Curra.*) Muchacha, 530
¿ qué te detiene ya ? Corre, despacha ;
por el balcón esas maletas, luego . . .

*D.ª Leonor* ¡ Curra, Curra, detente ! (*Fuera de sí.*)
¡ Don Álvaro !

*D. Álvaro* ¡ Leonor ! ! !

*D.ª Leonor* ¡ Dejadlo os ruego
para mañana !

*D. Álvaro* ¿ Qué ?

*D.ª Leonor* Más fácilmente . . . 535

*D. Álvaro* (*Demudado y confuso.*)
¿ Qué es esto, qué, Leonor ? ¿ Te falta ahora
resolución . . . ? ¡ Ay yo desventurado !

*D.ª Leonor* ¡ Don Álvaro ! ¡ Don Álvaro ! ! !

*D. Álvaro* ¡ Señora !

*D.ª Leonor* ¡ Ay ! Me partís el alma . . .

*D. Álvaro* Destrozado
tengo yo el corazón . . . ¿ Dónde está, dónde, 540
vuestro amor, vuestro firme juramento ?
Mal con vuestra palabra corresponde

tanta irresolución en tal momento.
Tan súbita mudanza . . .
No os conozco, Leonor. ¿ Llevóse el
545 viento
de mi delirio toda la esperanza ?
Sí ; he cegado en el punto
en que alboraba el más risueño día.
Me sacarán difunto
550 de aquí, cuando inmortal salir creía.
Hechicera engañosa,
¿ la perspectiva hermosa
que falaz me ofreciste así deshaces ?
¡ Pérfida ! ¿ Te complaces
555 en levantarme al trono del Eterno
para después hundirme en el infierno . . . ?
¡ Sólo me resta ya . . . !

*D.ª Leonor* (*Echándose en sus brazos.*)
No, no, te adoro.
¡ Don Álvaro . . . ! ¡ Mi bien . . . !
Vamos, sí, vamos.

*D. Álvaro* ¡ Oh mi Leonor . . . !

*Curra* El tiempo no perdamos.

560 *D. Álvaro* ¡ Mi encanto ! ¡ Mi tesoro !
(*Doña Leonor, muy abatida, se apoya en el hombro de don Álvaro, con muestras de desmayarse.*)
Mas, ¿ qué es esto ? ¡ Ay de mí ! ¡ Tu
mano yerta !
me parece la mano de una muerta. . . .
Frío está tu semblante,
como la losa de un sepulcro helado . . .

*D.ª Leonor* ¡Don Álvaro!

*D. Álvaro* ¡Leonor! (*Pausa.*) Fuerza bastante 565
hay para todo en mí... ¡ Desventurado!
La conmoción conozco que te agita,
inocente Leonor. Dios no permita
que por debilidad en tal momento
sigas mis pasos y mi esposa seas. 570
Renuncio a tu palabra y juramento;
hachas de muerte las nupciales teas
fueran para los dos . . . Si no me amas,
como yo te amo a ti... Si arrepentida...

*D.ª Leonor* Mi dulce esposo, con el alma y vida 575
es tuya tu Leonor; mi dicha fundo
en seguirte hasta el fin del ancho mundo.
Vamos; resuelta estoy, fijé mi suerte;
separarnos podrá sólo la muerte.

(*Van hacia el balcón, cuando de repente se oye ruido, ladridos, y abrir y cerrar puertas.*[1])

*D.ª Leonor.* ¡ Dios mío ! ¿ Qué ruido es éste ? 580
¡ Don Álvaro ! ! !

*Curra.* Parece que han abierto la puerta del patio . . . y la de la escalera . . .

*D.ª Leonor.* ¿Se habrá puesto [2] malo mi padre . . . ?

*Curra.* ¡Qué! No, señora; el ruido viene de otra 585
parte.

*D.ª Leonor.* ¿ Habrá llegado alguno de mis hermanos?

*D. Álvaro.* Vamos, vamos, Leonor; no perdamos ni un instante. (*Vuelve hacia el balcón, y de repente* 590
*se ve por él el resplandor de hachones de viento, y se oye galopar caballos.*)

*D.ª Leonor.* ¡ Somos perdidos . . . ! Estamos descubiertos . . . Imposible es la fuga.

595 *D. Álvaro.* Serenidad es necesario en todo caso.

*Curra.* ¡ La Virgen del Rosario nos valga y las ánimas benditas . . . ! ¿ Qué será de[1] mi pobre Antonio? (*Se asoma al balcón y grita.*) ¡ Antonio ! ¡ Antonio !

*D. Álvaro.* ¡ Calla, maldita !, no llames la aten-
600 ción hacia este lado ; entorna el balcón. (*Se acerca el ruido de puertas y pisadas.*)

*D.ª Leonor.* ¡ Ay, desdichada de mí ! Don Álvaro, escóndete . . . aquí . . . en mi alcoba . . .

*D. Álvaro.* (*Resuelto.*) No, yo no me escondo . . .
605 No te abandono en tal conflicto. (*Prepara una pistola.*) Defenderte y salvarte es mi obligación.

*D.ª Leonor.* (*Asustadísima.*) ¿ Qué intentas ? ¡ Ay ! Retira esa pistola, que me hiela la sangre . . . ¡ Por Dios, suéltala . . . ! ¿ La dispararás contra mi
610 buen padre . . . ? ¿ Contra algunos de mis hermanos . . . ? ¿ Para matar a alguno de los fieles y antiguos criados de esta casa ?

*D. Álvaro.* (*Profundamente confundido.*) No, no, amor mío . . . La emplearé en dar fin a mi desventu-
615 rada vida.

*D.ª Leonor.* ¡ Qué horror ! ¡ Don Álvaro !

## ESCENA VIII

Ábrese la puerta con estrépito, después de varios golpes en ella, y entra el MARQUÉS en bata y gorro, con un espadín desnudo en la mano, y detrás dos criados mayores con luces.

*Marqués.* (*Furioso.*) ¡ Vil seductor . . . ! ¡ Hija infame !

*D.ª Leonor.* (*Arrojándose a los pies de su padre.*) ¡ Padre ! ! ! ¡ Padre ! ! ! 620

*Marqués.* No soy tu padre . . . Aparta . . . Y tú, vil advenedizo . . .

*D. Álvaro.* Vuestra hija es inocente . . . Yo soy el culpado . . . Atravesadme el pecho. (*Hinca una rodilla.*) 625

*Marqués.* Tu actitud suplicante manifiesta lo bajo de tu condición . . .

*D. Álvaro.* (*Levantándose.*) ¡ Señor Marqués . . . ! ¡ Señor Marqués . . . !

*Marqués.* (*A su hija.*) Quita, mujer inicua. (*A* 630 *Curra, que le sujeta el brazo.*) ¿ Y tú, infeliz . . ., osas tocar a tu señor ? (*A los criados.*) Ea, echaos sobre ese infame, sujetadle, atadle . . .

*D. Álvaro.* (*Con dignidad.*) Desgraciado del que me pierda el respeto. (*Saca una pistola y la monta.*) 635

*D.ª Leonor.* (*Corriendo hacia don Álvaro.*) ¡ Don Álvaro . . . ! ¿ Qué vais a hacer ?

*Marqués.* Echaos sobre él al punto.

*D. Álvaro.* ¡ Ay de vuestros criados si se mueven ! Vos sólo tenéis derecho para atravesarme el corazón. 640

*Marqués.* ¿ Tú morir a manos de un caballero ? No ; morirás a las del verdugo.

*D. Álvaro.* ¡ Señor Marqués de Calatrava ! Mas ¡ ah !, no ; tenéis derecho para todo . . . Vuestra hija es inocente . . . Tan pura como el aliento de los 645 ángeles que rodean el trono del Altísimo. La sospecha a que puede dar origen mi presencia aquí a tales horas concluya con mi muerte ; salga envolviendo mi cadáver como si fuera mi mortaja . . . Sí, debo morir . . ., pero a vuestras manos. (*Pone una* 650

*rodilla en tierra.*) Espero resignado el golpe, no lo resistiré; ya me tenéis desarmado. (*Tira la pistola, que al dar en tierra se dispara y hiere al Marqués, que cae moribundo en los brazos de su hija y de los criados,*
655 *dando un alarido.*)

*Marqués.* Muerto soy . . . ¡ Ay de mí . . . !

*D. Álvaro.* ¡ Dios mío ! ¡ Arma funesta ! ¡ Noche terrible !

*D.ª Leonor.* ¡ Padre, padre ! ! !

660 *Marqués.* Aparta; sacadme de aquí . . ., donde muera sin que esta vil me contamine con tal nombre . . .

*D.ª Leonor.* ¡ Padre . . . !

*Marqués.* Yo te maldigo. (*Cae Leonor en brazos*
665 *de don Álvaro, que la arrastra hacia el balcón.*)

FIN DE LA JORNADA PRIMERA

# JORNADA SEGUNDA

## LA ESCENA ES EN LA VILLA DE HORNACHUELOS [1] Y SUS ALREDEDORES

## ESCENA PRIMERA

Es de noche, y el teatro representa la cocina de un mesón de la villa de Hornachuelos. Al frente estará la chimenea y el hogar. A la izquierda la puerta de entrada; a la derecha dos puertas practicables. A un lado una mesa larga de pino, rodeada de asientos toscos, y alumbrado todo por un gran candilón. El Mesonero y el Alcalde aparecerán sentados gravemente al fuego. La Mesonera, de rodillas, guisando. Junto a la mesa, el Estudiante cantando y tocando la guitarra. El Arriero que habla, cribando cebada en el fondo del teatro. El Tío Trabuco, tendido en primer término, sobre sus jalmas. Los dos Lugareños, las dos Lugareñas, la Moza y uno de los Arrieros, que no habla, estarán bailando seguidillas. El otro Arriero, que no habla, estará sentado junto al Estudiante y jaleando a las que bailan. Encima de la mesa habrá una bota de vino, unos vasos, y un frasco de aguardiente.

*Estudiante* (*Cantando en voz recia al son de la guitarra, y las tres parejas bailando con gran algazara.*)

Poned en estudiantes
vuestro cariño,
que son, como discretos,
agradecidos.
Viva Hornachuelos, 5
vivan de sus muchachas
los ojos negros.
Dejad a los soldados,

que es gente mala,
y así que dan el golpe
vuelven la espalda.
Viva Hornachuelos,
vivan de sus muchachas
los ojos negros.

*Mesonera.* (*Poniendo una sartén sobre la mesa.*) Vamos, vamos, que se enfría . . . (*A la criada.*) Pepa, al avío.

*Arriero.* (*El del cribo.*) Otra coplita.

*Estudiante.* (*Dejando la guitarra.*) Abrenuntio.[1] Antes de todo, la cena.

*Mesonera.* Y si después quiere la gente seguir bailando y alborotando, váyanse al corral o a la calle, que hay una luna clara como de día. Y dejen en silencio el mesón, que si unos quieren jaleo, otros quieren dormir. Pepa, Pepa . . ., ¿ no digo que basta ya de zangoloteo . . . ?

*Tío Trabuco.* (*Acostado en sus arreos.*) Tía Colasa, usted está en lo cierto. Yo por mí, quiero dormir.

*Mesonero.* Sí, ya basta de ruido. Vamos a cenar. Señor Alcalde, eche su merced la bendición, y venga a tomar una presita.

*Alcalde.* Se agradece,[2] señor Monipodio.[3]

*Mesonera.* Pero acérquese su merced.

*Alcalde.* Que eche la bendición el señor licenciado.

*Estudiante.* Allá voy,[4] y no seré largo, que huele el bacallao a gloria. *In nomine Patris et Filii et Spiritus Sancti.*[5]

*Todos.* Amén. (*Se van acomodando*[6] *alrededor de la mesa todos menos Trabuco.*)

*Mesonera.* Tal vez el tomate no estará bastante cocido, y el arroz estará algo duro... Pero con tanta babilonia no se puede...

*Arriero.* Está diciendo *comedme, comedme.*

*Estudiante.* (*Comiendo con ansia.*) Está exquisito ... especial; parece ambrosía...

*Mesonera.* Alto allá, señor bachiller; la Tía Ambrosia[1] no me gana a mí a guisar, ni sirve para descalzarme el zapato; no, señor.

*Arriero.* La Tía Ambrosia es más puerca que una telaraña.

*Mesonero.* La Tía Ambrosia es un guiñapo, es un paño de aporrear moscas; se revuelven las tripas de entrar en su mesón, y compararla con mi Colasa no es regular.

*Estudiante.* Ya sé yo que la señora Colasa es pulcra, y no lo dije por tanto.[2]

*Alcalde.* En toda la comarca de Hornachuelos, no hay una persona más limpia que la señora Colasa, ni un mesón como el del señor Monipodio.

*Mesonera.* Como que cuantas comidas de boda se hacen en la villa pasan por estas manos que ha de comer la tierra. Y de las bodas de señores, no le parezca a usted,[3] señor bachiller... Cuando se casó el escribano con la hija del regidor...

*Estudiante.* Conque se le puede decir a la señora Colasa, *tu das mihi epulis accumbere divum.*[4]

*Mesonera.* Yo no sé latín, pero sé guisar... Señor Alcalde, moje siquiera una sopa...

*Alcalde.* Tomaré, por no despreciar, una cucharadita de gazpacho, si es que lo hay.[5]

*Mesonero.* ¿ Cómo que si lo hay ?[6]

*Mesonera.* ¿ Pues había de faltar[1] donde yo estoy . . . ? ¡ Pepa ! (*A la moza.*) Anda a traerlo. Está sobre el brocal del pozo, desde media tarde,
75 tomando el fresco. (*Vase la moza.*)

*Estudiante.* (*Al arriero, que está acostado.*) ¡ Tío Trabuco, hola, Tío Trabuco ! ¿ No viene usted a hacer la razón ?

*Tío Trabuco.* No ceno.

80 *Estudiante.* ¿ Ayuna usted ?

*Tío Trabuco.* Sí, señor, que es viernes.

*Mesonero.* Pero un traguito . . .

*Tío Trabuco.* Venga. (*Le alarga el Mesonero la bota, y bebe un trago el Tío Trabuco.*) ¡ Jú ! Esto es
85 zupia. Alárgueme usted, Tío Monipodio, el frasco del aguardiente para enjuagarme la boca. (*Bebe y se acurruca. Entra la moza con una fuente de gazpacho.*)

*Moza.* Aquí está la gracia de Dios.

90 *Todos.* Venga, venga.

*Estudiante.* Parece, señor Alcalde, que esta noche hay mucha gente forastera en Hornachuelos.

*Arriero.* Las tres posadas están llenas.

*Alcalde.* Como es el jubileo de la Porciúncula,[2] y
95 el convento de San Francisco de los Ángeles,[3] que está aquí en el desierto, a media legua corta, es tan famoso . . . Viene mucha gente a confesarse con el Padre Guardián, que es un siervo de Dios.

*Mesonera.* Es un santo.

100 *Mesonero.* (*Toma la bota y se pone de pie.*) Jesús ; por la buena compañía,[4] y que Dios nos dé salud y pesetas en esta vida, y la gloria en la eterna. (*Bebe.*)

*Todos.* Amén. (*Pasa la bota de mano en mano.*)

*Estudiante.* (*Después de beber.*) Tío Trabuco, Tío Trabuco, ¿ está usted con los angelitos ? 105

*Tío Trabuco.* Con las malditas pulgas y con sus voces de usted, ¿ quién puede estar sino con los demonios ?

*Estudiante.* Queríamos saber, Tío Trabuco, si esa personilla de alfeñique, que ha venido con usted y que 110 se ha escondido de nosotros, viene a ganar el jubileo.

*Tío Trabuco.* Yo no sé nunca a lo que van ni vienen los que viajan conmigo.[1]

*Estudiante.* Pero . . . ¿ es gallo, o gallina ? 115

*Tío Trabuco.* Yo de los viajeros no miro más que la moneda, que ni es hembra ni es macho.

*Estudiante.* Sí, es género epiceno, como si dijéramos, hermafrodita . . . Pero veo que es usted muy taciturno, Tío Trabuco. 120

*Tío Trabuco.* Nunca gasto saliva en lo que no me importa ; y buenas noches, que se me va quedando la lengua dormida,[2] y quiero guardarle el sueño, sonsoniche.

*Estudiante.* Pues, señor, con el Tío Trabuco no 125 hay emboque. Dígame usted, nostrama (*A la Mesonera.*), ¿ por qué no ha venido a cenar el tal caballerito ?

*Mesonera.* Yo no sé.

*Estudiante.* Pero, vamos, ¿ es hembra o varón ? 130

*Mesonera.* Que sea lo que sea, lo cierto es que le vi el rostro, por más que se lo recataba, cuando se apeó del mulo, y que lo tiene como un sol ; y eso que traía los ojos de llorar, y de polvo, que daba compasión.[3] 135

*Estudiante.* ¡ Oiga !

*Mesonera.* Sí, señor; y en cuanto se metió en ese cuarto, volviéndome siempre la espalda, me preguntó cuánto había de aquí al convento de los
140 Ángeles, y yo se lo enseñé desde la ventana, que, como está tan cerca, se ve clarito, y . . .

*Estudiante.* ¡ Hola, conque es pecador que viene al jubileo !

*Mesonera.* Yo no sé; luego, se acostó; digo, se
145 echó en la cama vestido, y bebió antes un vaso de agua con unas gotas de vinagre.

*Estudiante.* Ya, para refrescar el cuerpo.

*Mesonera.* Y me dijo que no quería luz, ni cena, ni nada, y se quedó como rezando el Rosario entre
150 dientes. A mí me parece que es persona muy . . .

*Mesonero.* Charla, charla . . . ¿ Quién diablos te mete [1] en hablar de los huéspedes . . . ? ¡ Maldita sea tu lengua !

*Mesonera.* Como el señor licenciado quería
155 saber . . .

*Estudiante.* Sí, señora Colasa; dígame usted . . .

*Mesonero.* (*A su mujer.*) ¡ Chitón !

*Estudiante.* Pues, señor, volvamos al Tío Trabuco. ¡ Tío Trabuco, Tío Trabuco ! (*Se acerca a*
160 *él y le despierta.*)

*Tío Trabuco.* ¡ Malo . . . ! ¿ Me quiere usted dejar en paz ?

*Estudiante.* Vamos, dígame usted, esa persona ¿ cómo viene en el mulo, a mujeriegas, o a horca-
165 jadas ?

*Tío Trabuco.* ¡ Ay, qué sangre . . . ! De cabeza.

*Estudiante.* Y dígame usted, ¿ de dónde salió usted esta mañana, de Posadas o de Palma ?

*Tío Trabuco.* Yo no sé sino que tarde o temprano
voy al cielo. 170

*Estudiante.* ¿ Por qué ?

*Tío Trabuco.* Porque ya me tiene usted en el
purgatorio.

*Estudiante.* (*Se ríe.*) ¡ Ah, ah, ah . . . ! ¿ Y va
usted a Extremadura ? 175

*Tío Trabuco.* (*Se levanta, recoge sus jalmas y se
va con ellas muy enfadado.*) No, señor, a la caballeriza, huyendo de usted, y a dormir con mis mulos,
que no saben latín ni son bachilleres.

*Estudiante.* (*Se ríe.*) ¡ Ah, ah, ah ! Se atufó . . . 180
¡ Hola, Pepa, salerosa ! ¿ Y no has visto tú al
escondido ?

*Moza.* Por la espalda.

*Estudiante.* ¿ Y en qué cuarto está ?

*Moza.* (*Señala la primera puerta de la derecha.*) 185
En ése . . .

*Estudiante.* Pues ya que es lampiño, vamos a
pintarle unos bigotes con tizne . . . Y cuando se
despierte por la mañana, reiremos un poco. (*Se
tizna los dedos, y va hacia el cuarto.*) 190

*Algunos.* Sí . . ., sí.

*Mesonero.* No, no.

*Alcalde.* (*Con gravedad.*) Señor estudiante, no lo
permitiré yo, pues debo proteger a los forasteros que
llegan a esta villa, y administrarles justicia como a 195
los naturales de ella.

*Estudiante.* No lo dije por tanto,[1] señor Alcalde . . .

*Alcalde.* Yo sí. Y no fuera malo saber quién es el
señor licenciado, de dónde viene y adónde va, pues 200
parece algo alegre de cascos.

*Estudiante.* Si la justicia me lo pregunta de burlas
o de veras, no hay inconveniente en decirlo, que
aquí se juega limpio. Soy el bachiller Pereda,
205 graduado por Salamanca, *in utroque*,[1] y hace ocho
años que curso sus escuelas, aunque pobre, con
honra, y no sin fama. Salí de allí hace más de un
año, acompañando a mi amigo y protector el señor
licenciado Vargas, y fuimos a Sevilla, a vengar la
210 muerte de su padre el Marqués de Calatrava, y a
indagar el paradero de su hermana, que se escapó
con el matador. Pasamos allí algunos meses, donde
también estuvo su hermano mayor, el actual
Marqués, que es oficial de Guardias. Y como no
215 lograron su propósito, se separaron jurando venganza.
Y el licenciado y yo nos vinimos a Córdoba, donde
dijeron que estaba la hermana. Pero no la hallamos
tampoco, y allí supimos que había muerto en la refriega que armaron los criados del Marqués, la noche
220 de su muerte, con los del robador y asesino, y que
éste se había vuelto a América. Con lo que mar-
chamos a Cádiz, donde mi protector, el licenciado
Vargas, se ha embarcado para buscar allá al enemigo
de su familia. Y yo me vuelvo a mi Universidad a
225 desquitar el tiempo perdido y a continuar mis
estudios; con los que, y la ayuda de Dios, puede ser
que me vea algún día Gobernador del Consejo o
Arzobispo de Sevilla.

*Alcalde.* Humos tiene el señor bachiller, y ya
230 basta; pues se ve en su porte y buena explicación
que es hombre de bien y que dice verdad.

*Mesonera.* Dígame usted, señor estudiante, ¿y
qué, mataron a ese Marqués?

*Estudiante.* Sí.

*Mesonera.* ¿ Y lo mató el amante de su hija y 235
luego la robó . . . ? ¡ Ay ! Cuéntenos su merced esa historia, que será muy divertida ; cuéntela su merced . . .

*Mesonero.* ¿ Quién te mete a ti [1] en saber vidas ajenas ? ¡ Maldita sea tu curiosidad ! Pues que ya 240
hemos cenado, demos gracias a Dios, y a recogerse.[2] (*Se ponen todos en pie, y se quitan el sombrero como que rezan.*) Eh, buenas noches ; cada mochuelo a su olivo.

*Alcalde.* Buenas noches, y que haya juicio y 245
silencio.

*Estudiante.* Pues me voy a mi cuarto. (*Se va a meter en el del viajero incógnito.*)

*Mesonero.* ¡ Hola ! No es ése ; el de más allá.

*Estudiante.* Me equivoqué. (*Vanse el Alcalde y* 250
*los Lugareños ; entra el Estudiante en su cuarto; la Moza, el Arriero y la Mesonera retiran la mesa y bancos, dejando la escena desembarazada. El Mesonero se acerca al hogar, y queda todo en silencio y solos el Mesonero y Mesonera.*) 255

## ESCENA II

*Mesonero* Colasa, para medrar<br>
en nuestro oficio, es forzoso<br>
que haya en la casa reposo<br>
y a ninguno incomodar.<br>
Nunca meterse a oliscar 260<br>
quiénes los huéspedes son ;<br>
no gastar conversación

con cuantos llegan aquí;
servir bien, decir *no* o *sí*,
265 cobrar la mosca, y chitón.

*Mesonera* No, por mí no lo dirás;
bien sabes que callar sé.
Al bachiller pregunté ...

*Mesonero* Pues eso estuvo de más.

270 *Mesonera* También ahora extrañarás
que entre en ese cuarto a ver
si el huésped ha menester
alguna cosa, marido;
pues es, sí, lo he conocido,
275 una afligida mujer.
(*Toma un candil y entra la Mesonera muy recatadamente en el cuarto.*)

*Mesonero* Entra, que entrar es razón,
aunque temo, a la verdad,
que vas [1] por curiosidad,
más bien que por compasión.

*Mesonera* (*Saliendo muy asustada.*)
280 ¡ Ay, Dios mío ! Vengo muerta;
desapareció la dama;
nadie he encontrado en la cama,
y está la ventana abierta.

*Mesonero* ¿ Cómo ?, ¿ cómo ... ? ¡ Ya lo sé ... !
285 La ventana al campo da,
y como tan baja está,
sin gran trabajo se fué.

(*Andando hacia el cuarto donde entró la mujer, quedándose él a la puerta.*)
quiera Dios no haya cargado [1]
con la colcha nueva.

*Mesonera* (*Dentro.*)
Nada,
todo está aquí . . . ¡ Desdichada !, 290
hasta dinero ha dejado . . .
Sí, sobre la mesa un duro.

*Mesonero* Vaya entonces en buen hora.

*Mesonera* (*Saliendo a la escena.*)
No hay duda : es una señora
que se encuentra en grande apuro. 295

*Mesonero* Pues con bien la lleve Dios,
y vámonos a acostar,
y mañana no charlar,[2]
que esto quede entre los dos.
Echa un cuarto en el cepillo 300
de las ánimas, mujer ;
y el duro véngame a ver ;
échamelo en el bolsillo.

## ESCENA III

El teatro representa una plataforma en la ladera de una áspera montaña. A la izquierda, precipicios y derrumbaderos. Al frente, un profundo valle, atravesado por un riachuelo, en cuya margen se ve, a lo lejos, la villa de Hornachuelos, terminando el fondo en altas montañas. A la derecha, la fachada del convento de los Ángeles, de pobre y humilde arquitectura. La gran puerta de la iglesia, cerrada, pero practicable, y sobre ella una claraboya de medio punto por donde se verá el resplandor de las luces interiores; más hacia el proscenio, la puerta de la portería, también practicable y cerrada; en medio de ella una mirilla o gatera, que se abre y se cierra, y al lado el cordón de una campanilla. En medio de la escena habrá una gran cruz de piedra tosca y corroída por el tiempo, puesta sobre cuatro gradas que puedan servir de asiento. Estará todo iluminado por una luna clarísima; se oirá dentro de la iglesia el órgano, y cantar maitines al coro de frailes, y saldrá, como subiendo por la izquierda, DOÑA LEONOR, muy fatigada, y vestida de hombre con un gabán de mangas, sombrero gacho y botines.

*D.ª Leonor* Sí . . . ya llegué . . . Dios mío,
305 gracias os doy rendida.
(*Arrodíllase al ver el convento.*)
En ti, Virgen Santísima, confío;
sed el amparo de mi amarga vida.
Este refugio es sólo
el que puedo tener de polo a polo.
(*Álzase.*)
310 No me queda en la tierra
más asilo y resguardo
que los áridos riscos de esta sierra;
en ella estoy . . . ¿ Aun tiemblo y me acobardo . . . ?
(*Mira hacia el sitio por donde ha venido.*)
¡ Ah . . . ! Nadie me ha seguido,
315 ni mi fuga veloz notada ha sido.
No me engañé; la horrenda historia mía
escuché referir en la posada . . .
Y ¿ quién, cielos, sería [1]
aquel que la contó ? ¡ Desventurada !
320 Amigo dijo ser [2] de mis hermanos . . .
¡ Oh cielos soberanos . . . !

¿ Voy a ser descubierta ?
Estoy de miedo y de cansancio muerta.
(*Se sienta mirando en derredor y luego al cielo.*)
¡ Qué asperezas ! ¡ Qué hermosa y clara luna !
¡ La misma que hace un año 325
vió la mudanza atroz de mi fortuna,
y abrirse los infiernos en mi daño !
(*Pausa larga.*)
No fué ilusión . . . Aquel que de mí hablaba
dijo que navegaba
don Álvaro, buscando nuevamente 330
los apartados climas de Occidente.
¡ Oh Dios ! ¿ Y será cierto ?
Con bien arribe de su patria al puerto.
(*Pausa.*)
¿ Y no murió la noche desastrada
en que yo, yo . . . manchada 335
con la sangre infeliz del padre mío,
le seguí . . . le perdí . . . ¿ Y huye el impío ?
¿ Y huye el ingrato . . . ? ¿ Y huye y me abandona ?
(*Cae de rodillas.*)
¡ Oh, Madre Santa de Piedad ! Perdona,
perdona, le olvidé. Sí, es verdadera, 340
lo [1] es mi resolución. Dios de bondades,
con penitencia austera,
lejos del mundo, en estas soledades,
el furor expiaré de mis pasiones.

¡ Piedad, piedad, Señor, no me aban-
345 dones !

(*Queda en silencio y como en profunda meditación, recostada en las gradas de la cruz, y después de una larga pausa continúa.*)

Los sublimes acentos de ese coro
de bienaventurados,
y los ecos pausados
del órgano sonoro,
350 que cual de incienso vaporosa nube
al trono santo del Eterno sube,
difunden en mi alma
bálsamo dulce de consuelo y calma.

(*Se levanta resuelta.*)

¿ Qué me detengo, pues . . .? Corro al
tranquilo . . .
355 corro al sagrado asilo . . .

(*Va hacia el convento y se detiene.*)

Mas ¿ cómo a tales horas . . . ? ¡ Ah . . . !
No puedo
ya dilatarlo más ; hiélame el miedo
de encontrarme aquí sola. En esa aldea
hay quien mi historia sabe.
360 En lo posible cabe
que descubierta con la aurora sea.
Este santo prelado
de mi resolución está informado,
y de mis infortunios . . . Nada temo.
365 Mi confesor de Córdoba hace días
que las desgracias mías
le escribió largamente . . .

Sé de su caridad el noble extremo;
me acogerá indulgente.
¿ Qué dudo, pues, qué dudo . . . ? 370
Sed, oh Virgen Santísima, mi escudo.
(*Llega a la portería y toca la campanilla.*)

## ESCENA IV

Se abre la mirilla que está en la puerta, y por ella sale el resplandor de un farol, que da de pronto en el rostro de DOÑA LEONOR, y ésta se retira como asustada. El HERMANO MELITÓN habla toda esta escena dentro.

*Hno. Melitón.* ¿ Quién es ?

*D.ª Leonor.* Una persona a quien interesa mucho, ver al instante al reverendo Padre Guardián.

*Hno. Melitón.* ¡ Buena hora de ver al Padre 375 Guardián . . . ! La noche está clara y no será ningún caminante perdido. Si viene a ganar el jubileo, a las cinco se abrirá la iglesia; vaya con Dios; él le ayude.

*D.ª Leonor.* Hermano, llamad al Padre Guardián. 380 Por caridad. . . .

*Hno. Melitón.* ¡ Qué caridad a estas horas ! El Padre Guardián está en el coro.

*D.ª Leonor.* Traigo para su reverencia un recado muy urgente del Padre Cleto, definidor del convento 385 de Córdoba, quien ya le ha escrito sobre el asunto de que vengo a hablarle.

*Hno. Melitón.* ¡ Hola . . . ! ¿ Del Padre Cleto, el definidor del convento de Córdoba ? Eso es distinto . . . Iré, iré a decírselo al Padre Guardián. Pero 390 dígame, hijo, ¿ el recado y la carta, son sobre aquel asunto con el Padre General, que está pendiente allá en Madrid?

*D.ª Leonor.* Es una cosa muy interesante.

395 *Hno. Melitón.* Pero ¿para quién?

*D.ª Leonor.* Para la criatura más infeliz del mundo.

*Hno. Melitón.* ¡Mala recomendación...! Pero, bueno, abriré la portería, aunque es contra regla,
400 para que entréis a esperar.

*D.ª Leonor.* No, no, no puedo entrar... ¡Jesús!...

*Hno. Melitón.* Bendito sea su santo nombre... ¿Pero sois algún excomulgado...? Si no, es cosa rara preferir el esperar al raso. En fin, voy a dar el
405 recado, que probablemente no tendrá respuesta. Si no vuelvo, buenas noches; ahí a la bajadita está la villa, y hay un buen mesón: el de la Tía Colasa. (*Ciérrase la ventanilla, y doña Leonor queda muy abatida.*)

## ESCENA V

410 *D.ª Leonor* ¿Será tan negra y dura
mi suerte miserable,
que este santo prelado
socorro y protección no quiera darme?
La rígida aspereza
415 y las dificultades
que ha mostrado el portero
me pasman de terror, hielan mi sangre.
Mas no; si da el aviso
al reverendo padre,
420 y éste es tan dulce y bueno

cual dicen todos, volará a ampararme.
¡ Oh Soberana Virgen,
de desdichados Madre !
Su corazón ablanda
para que venga pronto a consolarme. 425
*(Queda en silencio; da la una el reloj del convento; se abre la portería, en la que aparecen el Padre Guardián y el Hermano Melitón con un farol; éste se queda en la puerta y aquél sale a la escena.)*

## ESCENA VI

DOÑA LEONOR, EL PADRE GUARDIÁN Y EL HERMANO MELITÓN

*P. Guardián* ¿ El que me busca, quién es ?

*D.ª Leonor* Yo soy, Padre, que quería . . .

*P. Guardián* Ya se abrió la portería;
entrad en el claustro, pues.

*D.ª Leonor* *(Muy sobresaltada.)*
¡ Ah . . . ! Imposible, Padre, no. 430

*P. Guardián* ¡ Imposible . . . ! ¿ Qué decís . . . ?

*D.ª Leonor* Si que os hable permitís,
aquí sólo puedo yo.[1]

*P. Guardián* Si os envía el Padre Cleto,
hablad, que es mi grande amigo. 435

*D.ª Leonor* Padre, que sea sin testigo,
porque me importa el secreto.

*P. Guardián* ¿Y quién . . . ? Mas ya os entendí.
Retiraos, Fray Melitón,
440 y encajad ese portón;
dejadnos solos aquí.

*Hno. Melitón* ¿No lo dije? Secretitos.
Los misterios ellos solos,
que los demás somos bolos
445 para estos santos benditos.

*P. Guardián* ¿Qué murmura?

*Hno. Melitón* Que está tan
premiosa esta puerta . . . y luego . . .

*P. Guardián* Obedezca, hermano lego.

*Hno. Melitón* Ya me la echó de guardián.[1]
(*Ciérrase la puerta y vase.*)

## ESCENA VII

DOÑA LEONOR Y EL PADRE GUARDIÁN

*P. Guardián* (*Acercándose a Leonor.*)
450 Ya estamos, hermano, solos.
¿Mas por qué tanto misterio?
¿No fuera más conveniente
que entrarais en el convento?
No sé qué pueda impedirlo . . .
455 Entrad, pues, que yo os lo ruego;
entrad, subid a mi celda,
tomaréis un refrigerio,
y después . . .

*D.ª Leonor* No, Padre mío.

*P. Guardián* ¿Qué os horroriza...? No entiendo...

*D.ª Leonor* (*Muy abatida.*)
Soy una infeliz mujer. 460

*P. Guardián* (*Asustado.*)
¡Una mujer...! ¡Santo cielo!
¡Una mujer...! A estas horas,
en este sitio... ¿Qué es esto?

*D.ª Leonor* Una mujer infelice,
maldición del universo, 465
que a vuestras plantas rendida
(*Se arrodilla.*)
os pide amparo y remedio;
pues vos podéis libertarla
de este mundo y del infierno.

*P. Guardián* Señora, alzad. Que son grandes 470
(*La levanta.*)
vuestros infortunios creo,
cuando os miro en este sitio
y escucho tales lamentos.
¿Pero qué apoyo, decidme,
qué amparo prestaros puedo 475
yo, un humilde religioso,
encerrado en estos yermos?

*D.ª Leonor* ¿No habéis, Padre, recibido
la carta que el Padre Cleto...

*P. Guardián* (*Recapacitando.*)
¿El Padre Cleto os envía...? 480

*D.ª Leonor* A vos, cual [1] solo remedio
de todos mis infortunios;

si benigno [1] los intentos
que a estos montes me conducen
485 permitís tengan efecto.[2]

*P. Guardián* (*Sorprendido.*)
¿ Sois doña Leonor de Vargas . . . ?
¿ Sois por dicha . . . ? ¡ Dios Eterno !

*D.ª Leonor* (*Abatida.*)
¡ Os horroriza el mirarme !

*P. Guardián* (*Afectuoso.*)
No, hija mía, no por cierto,
490 ni permita Dios que nunca
tan duro sea mi pecho,
que a los desgraciados niegue
la compasión y el respeto.

*D.ª Leonor* ¡ Yo lo [3] soy tanto !

*P. Guardián* Señora,
495 vuestra agitación comprendo.
No es extraño, no. Seguidme,
venid. Sentaos un momento
al pie de esta cruz ; su sombra
os dará fuerza y consuelos.

(*Lleva el Guardián a doña Leonor, y se sientan al pie de la cruz.*)

500 *D.ª Leonor* ¡ No me abandonéis, oh Padre !

*P. Guardián* No, jamás ; contad conmigo.

*D.ª Leonor* De este santo monasterio
desde que el término piso,
más tranquila tengo el alma,

con más libertad respiro. 505
Ya no me cercan, cual hace
un año, que hoy se ha cumplido,
los espectros y fantasmas
que siempre en redor he visto.
Ya no me sigue la sombra 510
sangrienta del Padre mío,
ni escucho sus maldiciones,
ni su horrenda herida miro,
ni . . .

*P. Guardián* ¡ Oh, no lo dudo, hija mía !
Libre estáis en este sitio 515
de esas vanas ilusiones,
aborto de los abismos.
Las insidias del demonio,
las sombras a que da brío
para conturbar al hombre, 520
no tienen aquí dominio.

*D.ª Leonor* Por eso aquí busco ansiosa
dulce consuelo y auxilio,
y de la Reina del Cielo
bajo el regio manto abrigo.[1] 525

*P. Guardián* Vamos despacio, hija mía;
el Padre Cleto me ha escrito
la resolución tremenda
que al desierto os ha traído;
pero no basta.

*D.ª Leonor* Sí basta; 530
es inmutable . . . lo fío,
es inmutable.

*P. Guardián* ¡ Hija mía !

*D.ª Leonor* Vengo resuelta, lo he dicho,
a sepultarme por siempre
535 en la tumba de estos riscos.[1]

*P. Guardián* ¡ Cómo !

*D.ª Leonor* ¿ Seré la primera . . .?
No lo seré, Padre mío.
Mi confesor me ha informado
de que en este santo sitio,
540 otra mujer infelice
vivió muerta para el siglo.
Resuelta a seguir su ejemplo
vengo en busca de su asilo:
dármelo sin duda puede
545 la gruta que le dió abrigo,
vos la protección y amparo
que para ello necesito,
y la Soberana Virgen
su santa gracia y su auxilio.

550 *P. Guardián* No os engañó el Padre Cleto,
pues diez años ha vivido
una santa penitente
en este yermo tranquilo,
de los hombres ignorada,
555 de penitencias prodigio.
En nuestra iglesia sus restos
están, y yo los estimo
como la joya más rica
de esta casa que, aunque indigno,

gobierno en el santo nombre 560
de mi Padre San Francisco.[1]
La gruta que fué su albergue,
y a que reparos precisos
se le hicieron, está cerca,
en ese hondo precipicio. 565
Aun existen en su seno
los humildes utensilios
que usó la santa; a su lado
un arroyo cristalino
brota apacible.

*D.ª Leonor* Al momento 570
llevadme allá, Padre mío.

*P. Guardián* ¡ Oh, doña Leonor de Vargas !
¿ Insistís ?

*D.ª Leonor* Sí, Padre, insisto.
Dios me manda . . .

*P. Guardián* Raras veces
Dios tan grandes sacrificios 575
exige de los mortales.
Y ¡ ay de aquel que de un delirio
en el momento, hija mía,
tal vez se engaña a sí mismo !
Todas las tribulaciones 580
de este mundo fugitivo,
son, señora, pasajeras,
al cabo encuentran alivio.
Y al Dios de bondad se sirve,
y se le aplaca lo mismo 585
en el claustro, en el desierto,

de la corte en el bullicio,
cuando se le entrega el alma
con fe viva y pecho limpio.

590 *D.ª Leonor* No es un acaloramiento,
no un instante de delirio,
quien [1] me sugirió la idea
que a buscaros me ha traído.
Desengaños de este mundo,
595 y un año ¡ ay Dios ! de suplicios,
de largas meditaciones,
de continuados peligros,
de atroces remordimientos,
de reflexiones conmigo,
600 mi intención han madurado,
y esfuerzo me han concedido
para hacer voto solemne
de morir en este sitio.
Mi confesor venerable,
605 que ya mi historia os ha escrito,
el Padre Cleto, a quien todos
llaman santo, y con motivo,
mi resolución aprueba ;
aunque, cual vos, al principio
610 trató de desvanecerla
con sus doctos raciocinios :
y a vuestras plantas me envía
para que me deis auxilio.
No me abandonéis, oh Padre ;
615 por el cielo os lo suplico ;
mi resolución es firme,
mi voto inmutable y fijo,

y no hay fuerza en este mundo
que me saque de estos riscos.

*P. Guardián* Sois muy joven, hija mía; 620
¿quién lo que el cielo propicio
aun nos puede guardar sabe?

*D.ª Leonor* Renuncio a todo, lo he dicho.

*P. Guardián* Acaso aquel caballero...

*D.ª Leonor* ¿Qué pronunciáis...?, ¡oh martirio! 625
Aunque inocente, manchado
con sangre del padre mío
está, y nunca, nunca...

*P. Guardián* Entiendo.
Mas de vuestra casa el brillo,
vuestros hermanos...

*D.ª Leonor* Mi muerte 630
sólo anhelan vengativos.

*P. Guardián* ¿Y la bondadosa tía
que en Córdoba os ha tenido
un año oculta?

*D.ª Leonor* No puedo,
sin ponerla en compromiso, 635
abusar de sus bondades.

*P. Guardián* Y qué, ¿más seguro asilo
no fuera, y más conveniente,
con las esposas de Cristo,
en un convento...?

640 *D.ª Leonor* No, Padre;
son tantos los requisitos
que para entrar en el claustro
se exigen . . . y . . . ¡ oh ! no, Dios mío,
aunque me encuentro inocente,
645 no puedo, tiemblo al decirlo,
vivir sino donde nadie
viva y converse conmigo.
Mi desgracia en toda España
suena de modo distinto,
650 y una alusión, una seña,
una mirada, suplicios
pudieran ser que me hundieran
del despecho en el abismo.
No, jamás . . . Aquí, aquí sólo;
655 si no me acogéis benigno,
piedad pediré a las fieras
que habitan en estos riscos,
alimento a estas montañas,
vivienda a estos precipicios.
660 No salgo de este desierto;
una voz hiere mi oído,
voz del cielo, que me dice:
aquí, aquí; y aquí respiro.
(*Se abraza con la cruz.*)
No, no habrá fuerzas humanas
665 que me arranquen de este sitio.

*P. Guardián* (*Levantándose y aparte.*)
¡ Será verdad, Dios Eterno !
¿ Será tan grande y tan alta
la protección que concede

vuestra Madre Soberana
a mí, pecador indigno, 670
que cuando soy de esta casa
humilde prelado, venga
con resolución tan santa
otra mujer penitente
a ser luz de estas montañas? 675
¡Bendito seáis, Dios Eterno,
cuya omnipotencia narran
estos cielos estrellados,
escabel de vuestras plantas!
¿Vuestra vocación es firme . . .? 680
¿Sois tan bienaventurada . . .?

*D.ª Leonor* Es inmutable, y cumplirla
la voz del cielo me manda.

*P. Guardián* Sea, pues, bajo el amparo
de la Virgen Soberana. 685
(*Extiende una mano sobre ella.*)

*D.ª Leonor* (*Arrojándose a las plantas del Padre Guardián.*)
¿Me acogéis . . .? ¡Oh Dios . . .! ¡Oh dicha!
¡Cuán feliz vuestras palabras
me hacen en este momento . . .!

*P. Guardián* (*Levantándola.*)
Dad a la Virgen las gracias.
Ella es la que asilo os presta 690
a la sombra de su casa.
No yo, pecador protervo,
vil gusano, tierra,[1] nada. (*Pausa.*)

*D.ª Leonor* Y vos, tan sólo vos, oh Padre mío,
695 sabréis que habito en estas asperezas,
ningún otro mortal.

*P. Guardián* Yo solamente
sabré quién sois. Pero que avise es fuerza
a la comunidad de que la ermita
está ocupada y de que vive en ella
700 una persona penitente. Y nadie,
bajo precepto santo de obediencia,
osará aproximarse de [1] cien pasos,
ni menos penetrar la humilde cerca
que a gran distancia la circunda en torno.
705 La mujer santa, antecesora vuestra,
sólo fué conocida del prelado,
también mi antecesor. Que mujer era,
lo supieron los otros religiosos,
cuando se celebraron sus exequias.
710 Ni yo jamás he de volver a veros:
cada semana, sí, con gran reserva,
yo mismo os dejaré junto a la fuente
la escasa provisión: de recogerla
cuidaréis vos . . . Una pequeña esquila,
715 que está sobre la puerta con su cuerda,
calando a lo interior, tocaréis sólo
de un gran peligro en la ocasión extrema,
o en la hora de la muerte. Su sonido,
a mí, o al que cual yo prelado sea,
720 avisará, y espiritual socorro

jamás os faltará . . . No, nada tema.
La Virgen de los Ángeles os cubre
con su manto, será vuestra defensa
el ángel del Señor.

*D.ª Leonor* Mas mis hermanos . . .
o bandidos tal vez . . .

*P. Guardián* Y ¿ quién pudiera 725
atreverse, hija mía, sin que al punto
sobre él tronara la venganza eterna ?
Cuando vivió la penitente antigua
en este mismo sitio, adonde os lleva
gracia especial del brazo omnipotente, 730
tres malhechores, con audacia ciega,
llegar quisieron al albergue santo ;
al momento una horrísona tormenta
se alzó, enlutando el indignado cielo,
y un rayo desprendido de la esfera 735
hizo ceniza a dos de los bandidos,
y el tercero, temblando, a nuestra iglesia
acogióse, vistió el escapulario,
abrazando contrito nuestra regla,
y murió a los dos meses.

*D.ª Leonor* Bien : ¡ oh Padre ! 740
pues que encontré donde esconderme pueda
a los ojos del mundo, conducidme ;
sin tardanza llevadme . . .

*P. Guardián* Al punto sea,
que ya la luz del alba se avecina. approach

745 Mas antes entraremos en la iglesia;
recibiréis mi absolución, y luego
el pan de vida y de salud eterna.[1]
Vestiréis el sayal de San Francisco,
y os daré avisos que importaros puedan
750 para la santa y penitente vida,
a que con gloria tanta estáis resuelta.

## ESCENA VIII

*P. Guardián* ¡ Hola . . . ! Hermano Melitón.
¡ Hola . . . !, despierte le digo;
de la iglesia abra el postigo.

*Hno. Melitón* (*Dentro.*)
755 Pues qué, ¿ ya las cinco son . . . ?
(*Sale bostezando.*)
Apostaré a que no han dado. (*Bosteza.*)

*P. Guardián* La iglesia abra.

*Hno. Melitón* No es de día.

*P. Guardián* ¿ Replica . . . ? Por vida mía . . .

*Hno. Melitón* ¿ Yo . . . ? En mi vida he replicado.
760 Bien podía el penitente
hasta las cinco esperar;
difícil será encontrar
un pecador tan urgente.

(*Vase, y en seguida se oye descorrer el cerrojo de la puerta de la iglesia, y se la ve abrirse lentamente.*)

*P. Guardián* (*Conduciendo a Leonor hacia la iglesia.*)
Vamos al punto, vamos.
En la casa de Dios, hermana, entremos, 765
su nombre bendigamos,
en su misericordia confiemos.

FIN DE LA JORNADA SEGUNDA

# JORNADA TERCERA

LA ESCENA ES EN ITALIA, EN VELETRI[1] Y SUS ALREDEDORES

## ESCENA PRIMERA

El teatro representa una sala corta, alojamiento de oficiales calaveras. En las paredes estarán colgados en desorden uniformes, capotes, sillas de caballos, armas, etc.; en medio habrá una mesa con tapete verde; dos candeleros de bronce con velas de sebo; cuatro oficiales alrededor, uno de ellos con la baraja en la mano; algunas sillas desocupadas.

*Pedraza.* (*Entra muy de prisa.*) ¡ Qué frío está esto !

*Oficial* 1.° Todos se han ido en cuanto me han desplumado; no he conseguido tirar ni una buena
5 talla.

*Pedraza.* Pues precisamente va a venir un gran punto, y si ve esto tan desierto y frío . . .

*Oficial* 1.° ¿ Y quién es el pájaro ?

*Todos.* ¿ Quién ?

10 *Pedraza.* El ayudante del General, ese teniente coronel que ha llegado con la orden de que al amanecer estemos sobre las armas. Es gran aficionado, tiene mucho rumbo, y a lo que parece es blanquito. Hemos cenado juntos en casa de la coronela, a
15 quien ya le está echando requiebros, y el taimado de nuestro capellán lo marcó por suyo. Le convidó con que viniera a jugar, y ya lo trae hacia aquí.

*Oficial* 1.° Pues, señores, ya es éste otro cantar.

Ya vamos a ser todos unos... ¿ Me entienden ustedes? 20

*Todos.* Sí, sí, muy bien pensado.

*Oficial* 2.º Como que es de plana mayor, y será contrario de los pobres pilíes.[1] ...

*Oficial* 4.º A él, y duro.

*Oficial* 1.º Pues para jugar con él tengo baraja 25 preparada, más obediente que un recluta y más florida [2] que el mes de mayo... (*Saca una baraja del bolsillo.*) Y aquí está.

*Oficial* 3.º ¡ Qué fino es usted, camarada !

*Oficial* 1.º No hay que jugar ases ni figuras.[3] 30 Y al avío, que ya suena gente en la escalera. Tiro, tres a la derecha, nueve [4] a la izquierda.

## ESCENA II

DON CARLOS DE VARGAS y el CAPELLÁN

*Capellán* Aquí viene, compañeros,
un rumboso aficionado.

*Todos* Sea, pues, bien llegado. 35
(*Levantándose y volviéndose a sentar.*)

*D. Carlos* Buenas noches, caballeros.
¡ Qué casa tan indecente ! (*Aparte.*)
Estoy, vive Dios, corrido
de verme comprometido
a alternar con esta gente. 40

*Oficial* 1.º Sentaos.
(*Se sienta don Carlos, haciéndole todos lugar.*)

*Capellán* Señor capitán, (*Al banquero.*)
¿ y el concurso ?

*Oficial 1.°* Se afufó (*Barajando.*)
en cuanto me desbancó.
Toditos [1] repletos van.
45 Se declaró un juego eterno
que no he podido quebrar,
y siempre salió a ganar
una sota del infierno.
Veintidós veces salió
50 y jamás a la derecha.

*Oficial 2.°* El que nunca se aprovecha
de tales gangas soy yo.

*Oficial 3.°* Y yo en el juego contrario
me empeñé, que nada vi,
55 y ya sólo estoy aquí
para rezar el rosario.

*Capellán* Vamos.

*Pedraza* Vamos.

*Oficial 1.°* Tiro.

*D. Carlos* Juego.

*Oficial 1.°* Tiro, a la derecha el as,
y a la izquierda la sotita.

60 *Oficial 2.°* Ya salió la muy maldita.
Por vida de Barrabás . . .

*Oficial 1.°* Rey a la derecha, nueve
a la izquierda.

*D. Carlos* Yo lo gano.

*Oficial 1.º* ¡ Tengo apestada la mano ! (*Paga.*)
Tres onzas, nada se debe. 65
A la derecha la sota.

*Oficial 4.º* Ya quebró.

*Oficial 3.º* Pegarle fuego.[1]

*Oficial 1.º* A la izquierda siete.

*D. Carlos* Juego.

*Oficial 2.º* Sólo el verla me rebota.

*D. Carlos* Copo.

*Capellán* ¿ Con carta tapada ? [2] 70

*Oficial 1.º* Tiro, a la derecha el tres.

*Pedraza* ¡ Qué bonita carta es ! [3]

*Oficial 1.º* Cuando sale descargada.
A la izquierda el cinco.

*D. Carlos* (*Levantándose y sujetando la mano del que talla.*)
No,
con tiento, señor banquero, 75
(*Vuelve su carta.*)
que he ganado mi dinero,
y trampas no sufro yo.

*Oficial 1.º* ¿ Cómo trampas . . . ? ¿ Quién osar . . . ?

*D. Carlos* Yo : pegado tras del cinco
está el caballo ; buen brinco 80
le hicisteis, amigo, dar.

*Oficial 1.º* Soy hombre pundonoroso,
y esto una casualidad . . .

*D. Carlos* Ésta es una iniquidad;
85 vos un taimado tramposo.

*Pedraza* Sois un loco, un atrevido.

*D. Carlos* Vos un vil, y con la espada . . .

*Todos* Ésta es una casa honrada.

*Capellán* Por Dios, no hagamos rüido.

*D. Carlos* (*Echando a rodar la mesa.*)
90 Abreviemos de razones.

*Todos* (*Tomando las espadas.*)
¡ Muera, muera el insolente !

*D. Carlos* (*Sale defendiéndose.*)
¿ Qué puede con un valiente
una cueva de ladrones ? [1]

(*Salen de la estancia acuchillándose, y dos o tres soldados retiran la mesa y las sillas, y desembarazan la escena.*)

## ESCENA III

El teatro representa una selva en noche muy obscura. Aparece al fondo DON ÁLVARO, solo, vestido de capitán de granaderos; se acerca lentamente, y dice con gran agitación.

*D. Álvaro* (*Solo*) ¡ Qué carga tan insufrible
95 es el ambiente vital,
para el mezquino mortal
que nace en signo terrible !

¡ Qué eternidad tan horrible
la breve vida ! ¡ Este mundo,
qué calabozo profundo 100
para el hombre desdichado,
a quien mira el cielo airado
con su ceño furibundo !
Parece, sí, que a medida
que es más dura y más amarga, 105
más extiende, más alarga
el destino nuestra vida.
Si nos está concedida
sólo para padecer,
ya debe muy breve ser 110
la del feliz, como en pena [1]
de que su objeto no llena.
¡ Terrible cosa es nacer !
El que tranquilo, gozoso
vive entre aplausos y honores, 115
y de inocentes amores
apura el cáliz sabroso,
cuando es más fuerte y brioso,
la muerte sus dichas huella,
sus venturas atropella ; 120
y yo que infelice soy,
yo que buscándola voy,
no puedo encontrar con ella.
¿ Mas cómo la he de obtener,
¡ desventurado de mí !, 125
pues cuando infeliz nací,
¿ nací para envejecer ?
Si aquel día de placer
(que uno sólo he disfrutado)

130 fortuna hubiese fijado,[1]
¡ cuán pronto muerte precoz
con su guadaña feroz
mi cuello hubiera segado !
Para engalanar mi frente,
135 allá en la abrasada zona,
con la espléndida corona
del imperio de Occidente,
amor y ambición ardiente
me engendraron de concierto;
140 pero con tal desacierto,
con tan contraria fortuna,
que una cárcel fué mi cuna,
y fué mi escuela el desierto.
Entre bárbaros crecí,
145 y en la edad de la razón,
a cumplir la obligación
que un hijo tiene, acudí:
mi nombre ocultando fui
(que es un crimen) a salvar
150 la vida, y así pagar
a los que a mí me la dieron.
(Que un trono soñando vieron
y un cadalso al despertar.)
Entonces risueño un día,
155 uno sólo, nada más,[2]
me dió el destino, — quizás
con intención más impía.
Así en la cárcel sombría
mete una luz el sayón,
160 con la tirana intención
de que un punto el preso vea

el horror que lo rodea
en su espantosa mansión.
¡ Sevilla ! ! ! ¡ Guadalquivir ! ! !
¡ Cuál atormentáis mi mente . . . ! 165
Noche en que vi de repente
mis breves dichas huir !
¡ Oh qué carga es el vivir . . . !
¡ Cielos, saciad el furor . . . !
Socórreme, mi Leonor, 170
gala del suelo andaluz,
que ya eres ángel de luz
junto al trono del Señor.
Mírame desde tu altura
sin nombre en extraña tierra, 175
empeñado en una guerra
por ganar mi sepultura.
¿ Qué me importa, por ventura,
que triunfe Carlos o no ?
¿ Qué tengo de Italia en pro ?[1] 180
¿ Qué tengo? ¡ Terrible suerte !
Que en ella reina la muerte,
y a la muerte busco yo.
¡ Cuánto, oh Dios, cuánto se engaña
el que elogia mi ardor ciego, 185
viéndome siempre en el fuego
de esta extranjera campaña !
Llámanme la prez de España,
y no saben que mi ardor
sólo es falta de valor, 190
pues busco ansioso el morir
por no osar el resistir
de los astros el furor.

Si el mundo colma de honores
195 al que mata a su enemigo,
el que lo lleva consigo [1]
¿ por qué no puede . . . ?
(*Óyese ruido de espadas.*)

*D. Carlos* (*Dentro.*) ¡ Traidores ! ! !

*Voces* (*Dentro.*) ¡ Muera !

*D. Carlos* (*Dentro.*) ¡ Viles !

*D. Álvaro* (*Sorprendido.*) ¡ Qué clamores !

*D. Carlos* (*Dentro.*) ¡ Socorro ! ! !

*D. Álvaro* (*Desenvainando la espada.*)
Dárselo quiero,
200 que oigo crujir el acero ;
y si a los peligros voy
porque desgraciado soy,
también voy por caballero.[2]
(*Éntrase; suena ruido de espadas; atraviesan dos hombres la escena como fugitivos, y vuelven a salir don Álvaro y don Carlos.*)

## ESCENA IV

DON ÁLVARO y DON CARLOS, con las espadas desnudas.

*D. Álvaro* Huyeron . . . ¿ Estáis herido ?

205 *D. Carlos* Mil gracias os doy, señor ;
sin vuestro heroico valor
de cierto estaba perdido,[3]
y no fuera maravilla :

eran siete contra mí,
y cuando grité, me vi 210
en tierra ya una rodilla.

*D. Álvaro* ¿ Y herido estáis ?

*D. Carlos* (*Reconociéndose.*)
Nada siento.
(*Envainan.*)

*D. Álvaro* ¿ Quiénes eran ?

*D. Carlos* Asesinos.

*D. Álvaro* ¿ Cómo osaron tan vecinos
de un militar campamento . . . ? 215

*D. Carlos* Os lo diré francamente :
fué contienda sobre el juego.
Entré sin pensarlo, ciego,
en un casuco indecente . . .

*D. Álvaro* Ya caigo, aquí, a mano diestra . . . 220

*D. Carlos* Sí.

*D. Álvaro* Que extrañe perdonad,
que un hombre de calidad,
cual vuestro esfuerzo demuestra,
entrara en tal gazapón,
donde sólo va la hez, 225
la canalla más soez,
de la milicia borrón.

*D. Carlos* Sólo el ser recién llegado [1]
puede, señor, disculparme ;
vinieron a convidarme, 230
y accedí desalumbrado.

*D. Álvaro* ¿Conque ha poco estáis aquí?

*D. Carlos* Diez días ha que llegué
a Italia; dos sólo que
235 al cuartel general fui.
Y esta tarde al campamento
con comisión especial
llegué de mi general,
para el reconocimiento
240 de mañana. Y si no fuera
por vuestra espada y favor,
mi carrera sin honor
ya estuviera terminada.
Mi gratitud sepa, pues,
245 a quién la vida he debido,
porque el ser agradecido
la obligación mayor es
para el hombre bien nacido.

*D. Álvaro* (*Con indiferencia.*)
Al acaso.

*D. Carlos* (*Con expresión.*)
Que me deis
250 vuestro nombre a suplicaros
me atrevo. Y para obligaros,
primero el mío sabréis.
Siento no decir verdad: (*Aparte.*)
soy don Félix de Avendaña,
255 que he venido [1] a esta campaña
sólo por curiosidad.
Soy teniente coronel,
y del General Briones [2]

ayudante; relaciones
tengo de sangre con él. 260

*D. Álvaro* (*Aparte.*)
¡ Qué franco es y qué expresivo!
me cautiva el corazón.

*D. Carlos* Me parece que es razón
que sepa yo por quién vivo,
pues la gratitud es ley. 265

*D. Álvaro* Soy . . . don Fadrique de Herreros,
capitán de granaderos
del regimiento del Rey.

*D. Carlos* (*Con grande admiración y entusiasmo.*)
¿ Sois . . ., ¡ grande dicha es la mía!
del Ejército español 270
la gloria, el radiante sol
de la hispana valentía?

*D. Álvaro* Señor . . .

*D. Carlos* Desde que llegué
a Italia, sólo elogiaros
y prez de España llamaros 275
por dondequiera escuché.
Y de español tan valiente
anhelaba la amistad.

*D. Álvaro* Con ella, Señor, contad,
que me honráis muy altamente. 280
Y según os he encontrado
contra tantos combatiendo
bizarramente, comprendo

que seréis [1] muy buen soldado.
285 Y la gran cortesanía
que en vuestro trato mostráis,
dice a voces que gozáis
de aventajada hidalguía.
(*Empieza a amanecer.*)
Venid, pues, a descansar
a mi tienda.

290 *D. Carlos* Tanto honor
será muy corto, Señor,
que el alba empieza a asomar.
(*Se oye a lo lejos tocar generala a las bandas de tambores.*)

*D. Álvaro* Y por todo el campamento,
de los tambores el son
295 convoca a la formación.
Me voy a mi regimiento.

*D. Carlos* Yo también, y a vuestro lado
asistiré en la pelea,
donde os admire y os vea
300 como a mi ejemplo y dechado.

*D. Álvaro* Favorecedor y amigo,
si sois cual cortés valiente,[2]
yo de vuestro arrojo ardiente
seré envidioso testigo. (*Vanse.*)

## ESCENA V

El teatro representa un risueño campo de Italia, al amanecer; se verá a lo lejos el pueblo de Veletri y varios puestos militares; algunos cuerpos de tropa cruzan la escena, y luego sale una compañía de infantería con el CAPITÁN, el TENIENTE y el SUBTENIENTE; DON CARLOS sale a caballo con un ordenanza detrás y coloca la compañía a un lado, avanzando una guerrilla al fondo del teatro.

*D. Carlos.* Señor Capitán, permaneceréis aquí hasta nueva orden; pero si los enemigos arrollan las guerrillas y se dirigen a esa altura donde está la compañía de Cantabria, marchad a socorrerla a todo trance. 305

*Capitán.* Está bien: cumpliré con mi obligación. (*Vase don Carlos.*) 310

## ESCENA VI

*Capitán.* Granaderos, en su lugar, descanso. Parece que lo entiende [1] este ayudante. (*Salen los oficiales de las filas y se reunen, mirando con un anteojo hacia donde suena rumor de fusilería.*) 315

*Teniente.* Se va galopando al fuego como un energúmeno y la acción se empeña más y más.

*Subteniente.* Y me parece que ha de ser muy caliente.

*Capitán.* (*Mirando con el anteojo.*) Bien combaten los granaderos del Rey. 320

*Teniente.* Como que llevan a la cabeza a la prez de España, al valiente don Fadrique de Herreros, que pelea como un desesperado.

*Subteniente.* (*Tomando el anteojo y mirando con él.*) Pues los alemanes [2] cargan a la bayoneta y con brío; adiós, que nos desalojan de aquel puesto. (*Se aumenta el tiroteo.*) 325

*Capitán.* (*Toma el anteojo.*) A ver, a ver...
330 ¡Ay! Si no me engaño, el capitán de granaderos del Rey ha caído o muerto o herido; lo veo claro, muy claro.

*Teniente.* Yo distingo que se arremolina la compañía... y creo que retrocede.

335 *Soldados.* ¡A ellos, a ellos!

*Capitán.* Silencio. Firmes. (*Vuelve a mirar con el anteojo.*) Las guerrillas también retroceden.

*Subteniente.* Uno corre a caballo hacia allá.

*Capitán.* Sí, es el ayudante... Está reuniendo la
340 gente y carga... ¡con qué denuedo...! Nuestro es el día.

*Teniente.* Sí, veo huir a los alemanes.

*Soldados.* ¡A ellos!

*Capitán.* Firmes, granaderos. (*Mira con el an-*
345 *teojo.*) El ayudante ha recobrado el puesto, la compañía del Rey carga a la bayoneta y lo arrolla todo.

*Teniente.* A ver, a ver. (*Toma el anteojo y mira.*) Sí, cierto. Y el ayudante se apea del caballo y retira en sus brazos al capitán don Fadrique. No debe de
350 estar más que herido; se lo llevan hacia Veletri.

*Todos.* Dios nos le conserve, que es la flor del Ejército.

*Capitán.* Pero por este lado no va tan bien. Teniente, vaya usted a reforzar, con la mitad de la com-
355 pañía, las guerrillas que están en esa cañada; que yo voy a acercarme a la compañía de Cantabria; vamos, vamos.

*Soldados.* ¡Viva España! ¡Viva España! ¡Viva Nápoles! (*Marchan.*)

## ESCENA VII

El teatro representa el alojamiento de un oficial superior; al frente estará la puerta de la alcoba, practicable y con cortinas. Entra DON ÁLVARO herido y desmayado en una camilla, llevada por cuatro granaderos, el CIRUJANO a un lado y DON CARLOS a otro, lleno de polvo y como muy cansado; un soldado traerá la maleta de DON ÁLVARO y la pondrá sobre una mesa; colocarán la camilla en medio de la escena, mientras los granaderos entran en la alcoba a hacer la cama.

*D. Carlos* Con mucho, mucho cuidado, 360
dejadle aquí, y al momento
entrad a arreglar mi cama.
(*Vanse a la alcoba dos de los soldados y quedan otros dos.*)

*Cirujano* Y que haya mucho silencio.

*D. Álvaro* (*Volviendo en sí.*)
¿ Dónde estoy ? ¿ Dónde ?

*D. Carlos* (*Con mucho cariño.*)
En Veletri,
a mi lado, amigo excelso. 365
Nuestra ha sido la victoria,
tranquilo estad.

*D. Álvaro* ¡ Dios Eterno !
¡ Con salvarme de la muerte,
qué gran daño me habéis hecho !

*D. Carlos* No digáis tal, don Fadrique, 370
cuando tan vano me encuentro
de que salvaros la vida
me haya concedido el cielo.

*D. Álvaro* ¡ Ay, don Félix de Avendaña,
375 qué grande mal me habéis hecho !
(*Se desmaya.*)

*Cirujano* Otra vez se ha desmayado:
agua y vinagre.

*D. Carlos* (*A uno de los soldados.*)
Al momento.
¿ Está de mucho peligro ? (*Al cirujano.*)

*Cirujano* Este balazo del pecho,
380 en donde aun tiene la bala,
me da muchísimo miedo;
lo que es las otras heridas
no presentan tanto riesgo.

*D. Carlos* (*Con gran vehemencia.*)
Salvad su vida, salvadle;
385 apurad todos los medios
del arte, y os aseguro
tal galardón . . .

*Cirujano* Lo agradezco:
para cumplir con mi oficio
no necesito de cebo;
390 que en salvar a este valiente
interés muy grande tengo.
(*Entra el soldado con un vaso de agua y vinagre. El cirujano le rocía el rostro y le aplica un pomito a las narices.*)

Sm. bottle

*D. Álvaro* (*Vuelve en sí.*)
¡ Ay !

*D. Carlos* Ánimo, noble amigo,
cobrad ánimo y aliento:
pronto, muy pronto curado,
y restablecido y bueno, 395
volveréis a ser la gloria,
el norte de los guerreros.
Y a vuestras altas hazañas
el Rey dará todo el premio
que merece. Sí, muy pronto, 400
lozano otra vez, cubierto
de palmas inmarchitables
y de laureles eternos,
con una rica encomienda
se adornará vuestro pecho 405
de Santiago o Calatrava.[1]

*D. Álvaro* (*Muy agitado.*)
¿ Qué escucho ? ¿ Qué ? ¡ Santo cielo !
¡ Ah . . . ! no, no de Calatrava:
Jamás, jamás . . . ¡ Dios Eterno !

*Cirujano* Ya otra vez se desmayó: 410
sin quietud y sin silencio
no habrá forma de curarlo.
Que no le habléis más os ruego.
(*A don Carlos. Vuelve a darle agua y a aplicarle el pomito a las narices.*)

*D. Carlos* (*Suspenso aparte.*)
El nombre de Calatrava
¿ qué tendrá, qué tendrá . . . tiemblo, 415
de terrible a sus oídos . . . ?

*Cirujano* No puede esperar más tiempo.
¿ Aun no está lista la cama ?

*D. Carlos* (*Mirando a la alcoba.*)
Ya lo[1] está. (*Salen los dos soldados.*)

*Cirujano* (*A los cuatro soldados.*)
Llevadle luego.

*D. Álvaro* ¡ Ay de mí ! (*Volviendo en sí.*)

*Cirujano* Llevadle.

*D. Álvaro* (*Haciendo esfuerzos.*)
420 Esperen.
Poco, por lo que en mí siento,
me queda ya de este mundo,
y en el otro pensar debo.
Mas antes de desprenderme
425 de la vida, de un gran peso
quiero descargarme. Amigo,
(*A don Carlos.*)
un favor tan sólo anhelo.

*Cirujano* Si habláis, señor, no es posible . . .

*D. Álvaro* No volver a hablar prometo.
430 Pero sólo una palabra,
y a él solo, que decir tengo.

*D. Carlos* (*Al cirujano y soldados.*)
Apartad, démosle gusto ;
dejadnos por un momento.
(*Se retiran el cirujano y los asistentes a un lado.*)

*D. Álvaro* Don Félix, vos solo, solo, (*Dale la mano.*)
435 cumpliréis con lo que quiero
de vos exigir. Juradme

por la fe de caballero
que haréis cuanto aquí os encargue,
con inviolable secreto.

*D. Carlos* Yo os lo juro, amigo mío; 440
acabad, pues.

(*Hace un esfuerzo don Álvaro como para meter la mano en el bolsillo y no puede.*)

*D. Álvaro* ¡ Ah . . . !, no puedo.
meted en este bolsillo,
que tengo aquí al lado izquierdo
sobre el corazón, la mano.
(*Lo hace don Carlos.*)
¿ Halláis algo en él ?

*D. Carlos* Sí, encuentro 445
una llavecita . . .

*D. Álvaro* Es ésa.
(*Saca don Carlos la llave.*)
Con ella abrid, yo os lo ruego,
a solas y sin testigos,
una caja que en el centro
hallaréis de mi maleta. 450
En ella, con sobre y sello,
un legajo hay de papeles;
custodiadlos con esmero,
y al momento que yo expire
los daréis, amigo, al fuego. 455

*D. Carlos* ¿ Sin abrirlos ?

*D. Álvaro* (*Muy agitado.*)
Sin abrirlos,

que en ellos hay un misterio
impenetrable . . . ¿ Palabra
me dais, don Félix, de hacerlo ?

460 *D. Carlos* Yo os la doy con toda el alma.

*D. Álvaro* Entonces tranquilo muero.
Dadme el postrimer abrazo,
y ¡ adiós, adiós !

*Cirujano* (*Enfadado.*)
Al momento
a la alcoba. Y vos, don Félix,
465 si es que tenéis tanto empeño
en que su vida se salve,
haced que guarde silencio :
y excusad también que os vea,
pues se conmueve en extremo.

(*Llévanse los soldados la camilla; entra también el cirujano, y don Carlos queda pensativo y lloroso.*)

## ESCENA VIII

470 *D. Carlos* ¿ Ha de morir . . . ¡ qué rigor !
tan bizarro militar ?
Si no lo puedo salvar
será eterno mi dolor.
Puesto que él me salvó a mí,
475 y desde el momento aquel
que guardó mi vida él,
guardar la suya ofrecí. (*Pausa.*)
Nunca vi tanta destreza

en las armas, y jamás
otra persona de más 480
arrogancia y gentileza.
Pero es hombre singular;
y en el corto tiempo que
le trato, rasgos noté
que son dignos de extrañar. (*Pausa.*) 485
¿ Y de Calatrava el nombre
por qué así le horrorizó
cuando pronunciarlo oyó . . . ?
¿ Qué hallará [1] en él que le asombre?
¡ Sabrá [1] que está deshonrado . . . ! 490
Será [1] un hidalgo andaluz . . .
¡ Cielos . . . ! ¡ Qué rayo de luz
sobre mí habéis derramado
en este momento . . . ! Sí.
¿ Podrá [1] ser éste el traidor, 495
de [2] mi sangre deshonor,
el que a buscar vine aquí?
(*Furioso y empuñando la espada.*)
¿ Y aun respira . . . ? No, ahora mismo
a mis manos . . .
(*Corre hacia la alcoba y se detiene.*)
¿ Dónde estoy . . . ?
¿ Ciego a despeñarme voy 500
de la infamia en el abismo?
¿ A quien mi vida salvó,
y que moribundo está,
matar inerme podrá
un caballero cual yo? (*Pausa.*) 505
¿ No puede falsa salir
mi sospecha . . . ? Sí . . . ¿ Quién sabe . . . ?

Pero ¡ cielos ! esta llave
todo me lo va a decir.
(*Se acerca a la maleta, la abre precipitado y saca la caja, poniéndola sobre la mesa.*)
510 Salid, caja misteriosa,
del destino urna fatal,
a quien [1] con sudor mortal
toca mi mano medrosa : Cowardly
me impide abrirte el temblor
515 que me causa el recelar
si en tu centro voy a hallar
los pedazos de mi honor.
(*Resuelto y abriendo.*)
Mas no, que en ti mi esperanza,
la luz que me da el destino,
520 está para hallar camino
que me lleve a la venganza.
(*Abre y saca un legajo sellado.*)
Ya el legajo tengo aquí.
¿ Qué tardo el sello en romper . . . ?
(*Se contiene.*)
¡ Oh cielos ! ¡ Qué voy a hacer !
525 ¿Y la palabra que di ?
¿ Mas si la suerte me da
tan inesperado medio
de dar a mi honor remedio,
el perderlo qué será ?
530 Si a Italia sólo he venido
a buscar al matador
de mi padre y de mi honor,
con nombre y porte fingido,
¿ qué importa que el pliego abra,

si lo que vine a buscar 535
a Italia voy a encontrar . . . ?
Pero no, di mi palabra.
Nadie, nadie aquí lo ve . . .
¡ Cielos !, lo estoy viendo yo.
Mas si él mi vida salvó, 540
también la suya salvé.
Y si es el infame indiano,
el seductor asesino,
¿ no es bueno cualquier camino
por donde venga a mi mano ? 545
Rompo esta cubierta, sí,
pues nadie lo ha de saber . . .
Mas, ¡ cielos !, ¿ qué voy a hacer ?
¿ Y la palabra que di ?
(*Suelta el legajo.*)
No, jamás. ¡ Cuán fácilmente 550
nos pinta nuestra pasión
una infame y vil acción
como acción indiferente !
A Italia vine anhelando
mi honor manchado lavar ; 555
¿ y mi empresa ha de empezar
el honor amancillando ? [1]
Queda, oh secreto, escondido,
si en este legajo estás ;
que un medio infame, jamás 560
lo usa el hombre bien nacido.
(*Registrando la maleta.*)
Si encontrar aquí pudiera
algún otro abierto indicio
que, sin hacer perjuïcio

565 a mi opinión, me advirtiera . . .
(*Sorprendido.*)
¡ Cielos . . . !, lo [1] hay . . . esta cajilla,
(*Saca una cajita como de retrato.*[2])
que algún retrato contiene,
(*Reconociéndola.*)
ni sello ni sobre tiene,
tiene sólo una aldabilla.
570 Hasta sin ser indiscreto
reconocerla me es dado;
nada de ella me han hablado,
ni rompo ningún secreto.
Ábrola, pues, en buen hora,
575 aunque un basilisco vea,
aunque para el mundo sea
caja fatal de Pandora.[3]
(*La abre, y exclama muy agitado.*)
¡ Cielos . . . ! no . . . no me engañé,
ésta es mi hermana Leonor . . .
580 ¿ Para qué prueba mayor . . . ?
Con la más clara encontré.
Ya está todo averiguado;
don Álvaro es el herido.
Brújula el retrato ha sido
585 que mi norte me ha marcado.
¿ Y a la infame . . . me atribulo,
con él en Italia tiene . . . ?
Descubrirlo me conviene
con astucia y disimulo.
590 ¡ Cuán feliz será mi suerte
si la venganza y castigo
sólo de un golpe consigo,

a los dos dando la muerte . . . !
Mas . . . ¡ ah . . . ! no me precipite
mi honra, ¡ cielos !, ofendida. 595
Guardad a este hombre la vida
para que yo se la quite.

(*Vuelve a colocar los papeles y el retrato en la maleta. Se oye ruido, y queda suspenso.*)

## ESCENA IX

EL CIRUJANO, que sale muy contento.

*Cirujano* Albricias pediros quiero;
ya le he sacado la bala,
(*Se la enseña.*)
y no es la herida tan mala 600
cual me pareció primero.

*D. Carlos* (*Le abraza fuera de sí.*)
¿ De veras . . . ? Feliz me hacéis:
por ver bueno al capitán,
tengo, amigo, más afán
del que imaginar podéis. 605

FIN DE LA JORNADA TERCERA

## JORNADA CUARTA

### LA ESCENA ES EN VELETRI

### ESCENA PRIMERA

El teatro representa una sala corta, de alojamiento militar.

DON ÁLVARO y DON CARLOS

*D. Carlos* Hoy que vuestra cuarentena
dichosamente cumplís,
¿ de salud, cómo os sentís ?
¿ Es completamente buena . . . ?
5 ¿ Reliquia alguna notáis
de haber tanto padecido ?
¿ Del todo restablecido,
y listo y fuerte os halláis ?

*D. Álvaro* Estoy como si tal cosa ; [1]
10 nunca tuve más salud,
y a vuestra solicitud
debo mi cura asombrosa.
Sois excelente enfermero ;
ni una madre por un hijo
15 muestra un afán más prolijo,
tan gran cuidado y esmero.

*D. Carlos* En extremo interesante
me era la vida salvaros.

*D. Álvaro* ¿ Y con qué, amigo, pagaros
20 podré interés semejante ?

Y aunque gran mal me habéis hecho
en salvar mi amarga vida,
será eterna y sin medida
la gratitud de mi pecho.

*D. Carlos* ¿ Y estáis tan repuesto y fuerte 25
que sin ventaja pudiera
un enemigo cualquiera . . . ?

*D. Álvaro* Estoy, amigo, de suerte
que en casa del coronel
he estado [1] ya a presentarme, 30
y de alta acabo de darme
ahora mismo en el cuartel.

*D. Carlos* ¿ De veras ?

*D. Álvaro* ¿ Os enojáis
porque ayer no os dije acaso
que iba hoy a dar este paso ? 35
Como tanto me cuidáis,
que os opusierais temí ;
y estando sano, en verdad,
vivir en la ociosidad
no era honroso para mí. 40

*D. Carlos* ¿ Conque ya no os duele nada,
ni hay asomo de flaqueza
en el pecho, en la cabeza,
ni en el brazo de la espada ?

*D. Álvaro* No . . . Pero parece que 45
algo, amigo, os atormenta,
y que acaso os descontenta
el que yo tan bueno esté.

*D. Carlos* ¡Al contrario . . . ! Al veros bueno,
50 capaz de entrar en acción,
palpita mi corazón
del placer más alto lleno.
Solamente no quisiera
que os engañara el valor,
55 y que el personal vigor
en una ocasión cualquiera . . .

*D. Álvaro* ¿Queréis pruebas?

*D. Carlos* (*Con vehemencia.*)
Las deseo.

*D. Álvaro* A la descubierta vamos
de mañana, y enredamos
60 un rato de tiroteo.

*D. Carlos* La prueba se puede hacer,
pues que estáis fuerte, sin ir
tan lejos a combatir,
que no hay tiempo que perder.

*D. Álvaro* (*Confuso.*)
No os entiendo . . .

65 *D. Carlos* ¿No tendréis,
sin ir a los imperiales,[1]
enemigos personales
con quien [2] probaros podréis?

*D. Álvaro* ¿A quién le faltan . . . ? Mas no
70 lo que me decís comprendo.

*D. Carlos* Os lo está a voces diciendo
más la conciencia que yo.

Disimular fuera en vano . . .
Vuestra turbación es harta . . .
¿ Habéis recibido carta 75
de don Álvaro el indiano ?

*D. Álvaro* (*Fuera de sí.*)
¡ Ah, traidor . . . ! ¡ Ah, fementido . . . !
Violaste infame un secreto,
que yo débil, yo indiscreto,
moribundo . . ., inadvertido . . . 80

*D. Carlos* ¿ Qué osáis pensar . . . ? Respeté
vuestros papeles sellados,
que los que nacen honrados
se portan cual me porté.
El retrato de la infame, 85
vuestra cómplice, os perdió,
y sin lengua me pidió
que el suyo y mi honor reclame.
Don Carlos de Vargas soy,
que por vuestro crimen es 90
de Calatrava Marqués;
temblad, que ante vos estoy.

*D. Álvaro* No sé temblar . . . Sorprendido,
sí me tenéis . . .

*D. Carlos* No lo extraño.

*D. Álvaro* ¿ Y usurpar con un engaño 95
mi amistad honrado ha sido ?
¡ Señor Marqués . . . !

*D. Carlos* De esa suerte
no me permito llamar,

que sólo he de titular
100 después de daros la muerte.

*D. Álvaro* Aconteceros pudiera
sin el título morir.

*D. Carlos* Vamos pronto a combatir,
quedemos o dentro o fuera.
105 Vamos donde mi furor . . .

*D. Álvaro* Vamos, pues, señor don Carlos,
que si nunca fui[1] a buscarlos,
no evito lances de honor.
Mas esperad, que en el alma
110 del que goza de hidalguía,
no es furia la valentía,
y ésta obra siempre con calma.
Sabéis que busco la muerte,
que los riesgos solicito.
115 Pero con vos necesito
comportarme de otra suerte;
y explicaros . . .

*D. Carlos* Es perder
tiempo toda explicación.

*D. Álvaro* No os neguéis a la razón,
120 que suele funesto ser.
Pues trataron las estrellas
por raros modos de hacernos
amigos, ¿ a qué oponernos
a lo que buscaron ellas ?
125 Si nos quisieron unir
de mutuos y altos servicios

con los vínculos propicios,
no fué, no, para reñir.
Tal vez fué para enmendar
la desgracia inevitable 130
de que no fui yo culpable.

*D. Carlos* ¿ Y me la osáis recordar ?

*D. Álvaro* ¿ Teméis que vuestro valor
se disminuya y se asombre,
si halla en su contrario un hombre 135
de nobleza y pundonor ?

*D. Carlos* ¡ Nobleza un aventurero !
¡ Honor un desconocido !
¡ Sin padre, sin apellido,
advenedizo, altanero . . . ! 140

*D. Álvaro* ¡ Ay, que ese error a la muerte,
por más que lo evité [1] yo,
a vuestro padre arrastró . . . !
No corráis la misma suerte.
Y que infundados agravios 145
e insultos no ofenden, muestra
el que está ociosa mi diestra
sin arrancaros los labios.
Si un secreto misterioso
romper hubiera podido, 150
¡ oh . . . !, cuán diferente sido [2] . . .

*D. Carlos* Guardadlo, no soy curioso.
Que sólo anhelo venganza
y sangre.

*D. Álvaro* ¿ Sangre . . . ? La habrá.[3]

*D. Carlos* Salgamos al campo ya. 155

*D. Álvaro* Salgamos sin más tardanza.
(*Deteniéndose.*)
Mas, don Carlos . . . ¡ Ah ! ¿ Podréis
sospecharme con razón
de falta de corazón ?
160 No, no, que me conocéis.
Si el orgullo, principal
y tan poderoso agente
en las acciones del ente
que se dice racional,
165 satisfecho tengo ahora,
esfuerzos no he de omitir
hasta aplacar conseguir
ese furor que os devora.
Pues mucho repugno yo
170 el desnudar el acero
con el hombre que primero
dulce amistad me inspiró.
Yo a vuestro padre no herí,
le hirió sólo su destino.
175 Y yo, a aquel ángel divino,
ni seduje, ni perdí.
Ambos nos están mirando
desde el cielo ; mi inocencia
ven, esa ciega demencia
180 que os agita, condenando.

*D. Carlos* (*Turbado.*)
Pues qué, ¿ mi hermana... ? ¿ Leonor... ?
(Que con vos aquí no está
lo tengo aclarado ya.)
¿ Mas cuándo ha muerto... ? ¡ Oh furor !

*D. Álvaro* Aquella noche terrible 185
llevándola yo a un convento,
exánime, y sin aliento,
se trabó un combate horrible
al salir del olivar
entre mis fieles criados 190
y los vuestros irritados,
y no la pude salvar.
Con tres heridas caí,
y un negro de puro fiel
(fidelidad bien cruel), 195
veloz me arrancó de allí,
falto de sangre y sentido;
tuve en Gelves larga cura,
con accesos de locura;
y apenas restablecido, 200
ansioso empecé a indagar
de mi único bien la suerte,
y supe, ¡ ay Dios !, que la muerte
en el obscuro olivar . . .

*D. Carlos* (*Resuelto.*)
¡ Basta, imprudente impostor ! 205
¿ Y os preciáis de caballero [1] . . . ?
¿ Con embrollo tan grosero
queréis calmar mi furor ?
Deponed tan necio engaño;
después del funesto día, 210
en Córdoba, con su tía,
mi hermana ha vivido un año.
Dos meses ha que fui yo
a buscarla, y no la hallé.

found out

215 Pero de cierto indagué
que al verme llegar huyó.
Y el perseguirla he dejado,[1]
porque sabiendo yo allí
que vos estabais aquí,
220 me llamó mayor cuidado.

*D. Álvaro* (*Muy conmovido.*)
¡ Don Carlos . . . ! ¡ Señor . . . ! ¡ Amigo !
¡ Don Félix . . . ! ¡ ah . . . ! tolerad
que el nombre que en amistad
tan tierna os unió conmigo,
225 use en esta situación.
¡ Don Félix . . . ! soy inocente;
bien lo podéis ver patente
en mi nueva agitación.
¡ Don Félix . . . ! ¡ Don Félix . . . ! ¡ ah . . . !
230 ¿ Vive . . . ? ¿ vive . . . ? ¡ oh, justo Dios !

*D. Carlos* Vive; ¿ y qué os importa a vos ?
Muy pronto no vivirá.

*D. Álvaro* Don Félix, mi amigo, sí,
pues que vive vuestra hermana,
235 la satisfacción es llana
que debéis tomar en mí.
A buscarla juntos vamos;
muy pronto la encontraremos,
y en santo nudo estrechemos
240 la amistad que nos juramos.
¡ Oh, yo os ofrezco, yo os juro
que no os arrepentiréis
cuando a conocer lleguéis

mi origen excelso y puro.
Al primer grande español 245
no le cedo en jerarquía;
es más alta mi hidalguía
que el trono del mismo sol.

*D. Carlos* ¿ Estáis, don Álvaro, loco?
¿ Qué es lo que pensar osáis? 250
¿ Qué proyectos abrigáis?
¿ Me tenéis a mí en tan poco?
Ruge entre los dos un mar
de sangre . . . ¿ Yo al matador
de mi padre y de mi honor 255
pudiera hermano llamar?
¡ Oh afrenta! Aunque fuerais rey, . . .
ni la infame ha de vivir.
No, tras de vos va a morir,
que es de mi venganza ley. 260
Si a mí vos no me matáis,
al punto la buscaré,
y la misma espada que
con vuestra sangre tiñáis,
en su corazón . . .

*D. Álvaro* Callad. 265
Callad . . . ¿ delante de mí
osasteis . . . ?

*D. Carlos* Lo juro, sí;
Lo juro . . .

*D. Álvaro* ¿ El qué . . . ? Continuad.

*D. Carlos* La muerte de la malvada,
en cuanto acabe con vos. 270

*D. Álvaro* Pues no será, vive Dios,
que tengo brazo y espada.
Vamos . . . Libertarla anhelo
de su verdugo. Salid.

275 *D. Carlos* A vuestra tumba venid.

*D. Álvaro* Demandad perdón al cielo.

## ESCENA II

El teatro representa la plaza principal de Veletri; a un lado y otro se ven tiendas y cafés; en medio, puestos de frutas y verduras; al fondo, la guardia del principal, y el centinela paseándose delante del armero; los oficiales, en grupos, a una parte y otra, y la gente del pueblo cruzando en todas direcciones. El TENIENTE, SUBTENIENTE y PEDRAZA se reunirán a un lado de la escena, mientras los OFICIALES 1.°, 2.°, 3.° y 4.° hablan entre sí, después de leer un edicto que está fijado en una esquina, y que llama la atención de todos.

*Oficial* 1.° El Rey Carlos de Nápoles [1] no se chancea; pena de muerte, nada menos.[2]

*Oficial* 2.° ¿ Cómo pena de muerte ?

280 *Oficial* 3.° Hablamos de la ley que se acaba de publicar, y que allí está para que nadie la ignore, sobre desafíos.

*Oficial* 2.° Ya, ciertamente es un poco dura.

*Oficial* 3.° Yo no sé cómo un Rey tan valiente y
285 joven puede ser tan severo contra los lances de honor.

*Oficial* 1.° Amigo, es que cada uno arrima el ascua a su sardina; [3] y como siempre los desafíos suelen ser entre españoles y napolitanos, y éstos llevan lo peor, el Rey, que al cabo es Rey de Nápoles . . .

*Oficial* 2.º No, ésas son fanfarronadas; pues hasta ahora no han llevado siempre lo peor los napolitanos; acordaos del Mayor Caraciolo,[1] que despabiló a dos oficiales. 290

*Todos.* Eso fué una casualidad.

*Oficial* 1.º Lo cierto es que la ley es dura; pena de muerte por batirse; pena de muerte por ser padrino; pena de muerte por llevar cartas;[2] qué sé yo. Pues el primero que caiga . . . 295

*Oficial* 2.º No, no es tan rigurosa.

*Oficial* 1.º ¿ Cómo no ? Vean ustedes. Leamos otra vez. (*Se acercan a leer el edicto, y se adelantan en la escena los otros.*) 300

*Subteniente.* ¡ Hermoso día !

*Teniente.* Hermosísimo. Pero pica mucho el sol.

*Pedraza.* Buen tiempo para hacer la guerra. 305

*Teniente.* Mejor es para los heridos convalecientes. Yo me siento hoy enteramente bueno de mi brazo.[3]

*Subteniente.* También me parece que el valiente capitán de granaderos del Rey está enteramente restablecido. ¡ Bien pronto se ha curado ! 310

*Pedraza.* ¿ Se ha dado ya de alta ?

*Teniente.* Sí, esta mañana. Está como si tal cosa;[4] un poco pálido, pero fuerte. Hace un rato que lo encontré; iba como hacia la Alameda a dar un paseo con su amigote el ayudante don Félix de Avendaña. 315

*Subteniente.* Bien puede estarle agradecido, pues además de haberlo sacado del campo de batalla, le ha salvado la vida con su prolija y esmerada asistencia. 320

*Teniente.* También puede dar gracias a la habilidad del doctor Pérez, que se ha acreditado de ser el mejor cirujano del Ejército.

325 *Subteniente.* Y no lo perderá; pues, según dicen, el ayudante, que es muy rico y generoso, le va a hacer un gran regalo.

*Pedraza.* Bien puede; pues según me ha dicho un sargento de mi compañía, andaluz, el tal don 330 Félix está aquí con nombre supuesto, y es un marqués riquísimo de Sevilla.

*Todos.* ¿ De veras ? (*Se oye ruido, y se arremolinan todos mirando hacia el mismo lado.*)

*Teniente.* ¡ Hola ! ¿ Qué alboroto es aquél ?

335 *Subteniente.* Veamos... Sin duda algún preso. Pero ¡ Dios mío !, ¿ qué veo ?

*Pedraza.* ¿ Qué es aquello ?

*Teniente.* ¿ Estoy soñando . . . ? ¿ No es el Capitán de granaderos del Rey el que traen preso ?

340 *Todos.* No hay duda, es el valiente don Fadrique. (*Se agrupan todos sobre el primer bastidor de la derecha, por donde sale el Capitán Preboste y cuatro granaderos, y en medio de ellos, preso, sin espada ni sombrero, don Álvaro; y atravesando la escena, seguidos 345 por la multitud, entran en el cuerpo de guardia, que está al fondo; mientras tanto, se desembaraza el teatro. Todos vuelven a la escena, menos Pedraza, que entra en el cuerpo de guardia.*)

*Teniente.* Pero, señor, ¿ qué será esto ? ¿ Preso el 350 militar más valiente, más exacto que tiene el Ejército ?

*Subteniente.* Ciertamente es cosa muy rara.

*Teniente.* Vamos a averiguar . . .

*Subteniente.* Ya viene aquí Pedraza, que sale del cuerpo de guardia, y sabrá algo. Hola, Pedraza, 355 ¿ qué ha sido ?

*Pedraza.* (*Señalando al edicto, y se reune más gente a los cuatro oficiales.*) Muy mala causa tiene. Desafío . . . El primero que quebranta la ley; desafío y muerte. 360

*Todos.* ¡ Cómo ! ! ! ¿ Y con quién ?

*Pedraza.* ¡ Caso extrañísimo ! El desafío ha sido con el teniente coronel Avendaña.

*Todos.* ¡ Imposible . . . ! ¡ Con su amigo !

*Pedraza.* Muerto le deja de una estocada, ahí 365 detrás del cuartel.

*Todos.* ¡ Muerto !

*Pedraza.* Muerto.

*Oficial* 1.º Me alegro, que era un botarate.

*Oficial* 2.º Un insultante. 370

*Teniente.* ¡ Pues, señores, la ha hecho buena ![1] Mucho me temo que va [2] a estrenar aquella ley.

*Todos.* ¡ Qué horror !

*Subteniente.* Será una atrocidad. Debe haber alguna excepción a favor de oficial tan valiente y 375 tan benemérito.

*Pedraza.* Sí, ya está fresco.

*Teniente.* El capitán Herreros es, con razón, el ídolo del Ejército. Y yo creo que el General y el Coronel, y los jefes todos, tanto españoles como 380 napolitanos, hablarán al Rey . . ., y tal vez . . .

*Subteniente.* El Rey Carlos es tan testarudo . . ., y como éste es el primer caso que ocurre, el mismo día que se ha publicado la ley . . . No hay esperanza. Esta noche misma se juntará el Consejo de guerra, y 385 antes de tres días le arcabucean . . . ¿ Pero, sobre qué habrá sido el lance?

*Pedraza.* Yo no sé, nada me han dicho. Lo que es el capitán tiene malas pulgas, y su amigote era un
390 poco caliente de lengua.

*Ofles.* 1.º *y* 4.º Era un charlatán, un fanfarrón.

*Subteniente.* En el café han entrado algunos oficiales del regimiento del Rey; sabrán sin duda todo el lance. Vamos a hablar con ellos.

395 *Todos.* Sí, vamos.

## ESCENA III

El teatro representa el cuarto de un oficial de guardia; se verá a un lado el tabladillo y el colchón, y en medio habrá una mesa y sillas de paja. Entran en la escena Don Álvaro y el Capitán.

*Capitán* Como la mayor desgracia
juzgo, amigo y compañero,
el estar hoy de servicio
para ser alcaide vuestro.
400 Resignación, don Fadrique:
tomad una silla os ruego.
(*Se sienta don Álvaro.*)
Y mientras yo esté de guardia
no miréis este aposento
como prisión . . . Mas es fuerza,
405 pues orden precisa tengo,
que dos centinelas ponga
de vista . . .

*D. Álvaro* Yo os agradezco,
señor, tal cortesanía.

Cumplid, cumplid al momento
con lo que os tienen mandado, 410
y los centinelas luego
poned . . . Aunque más seguro
que de hombres y armas en medio,
está el oficial de honor
bajo su palabra . . . ¡ Oh cielos ! 415

*(Coloca el Capitán dos centinelas; un soldado entra luces, y se sientan el Capitán y don Álvaro junto a la mesa.*

¿ Y en Veletri, qué se dice ?
¿ Mil necedades diversas
se esparcirán, procurando
explicar mi suerte adversa ?

*Capitán* En Veletri, ciertamente, 420
no se habla de otra materia.
Y aunque de aquí separarme
no puedo, como está llena
toda la plaza de gente,
que gran interés demuestra 425
por vos, a algunos he hablado . . .

*D. Álvaro* Y bien, ¿ qué dicen ?, ¿ qué piensan ?

*Capitán* La amistad íntima todos,
que os enlazaba, recuerdan,
con don Félix . . . Y las causas 430
que la hicieron tan estrecha,
y todos dicen . . .

*D. Álvaro* Entiendo.
Que soy un monstruo, una fiera,
Que a la obligación más santa

435 he faltado; que mi ciega
furia ha dado muerte a un hombre,
a cuyo arrojo y nobleza
debí la vida en el campo;
y a cuya nimia asistencia
440 y esmero debí mi cura,
dentro de su casa mesma.
Al que como tierno hermano...
¡Como hermano...! ¡Suerte horrenda!
¿Como hermano...? ¡Debió serlo![1]
445 Yace convertido en tierra
por no serlo... ¡Y yo respiro!
¿Y aun el suelo me sustenta...?
¡Ay! ¡ay de mí!
(*Se da una palmada en la frente, y queda en la mayor agitación.*)

*Capitán* Perdonadme
Si con mis noticias necias...

450 *D. Álvaro* Yo lo amaba... ¡Ah, cuál me aprieta
el corazón una mano
de hierro ardiente! La fuerza
me falta... ¡Oh, Dios! ¡Qué bizarro,
con qué noble gentileza
455 entre un diluvio de balas
se arrojó, viéndome en tierra,
a salvarme de la muerte!
¡Con cuánto afán y terneza
pasó las noches y días
460 sentado a mi cabecera! (*Pausa.*)

*Capitán* Anuló sin duda tales
servicios con un agravio.

Diz que era un poco altanero,
picajoso, temerario;
y un hombre cual vos . . .

*D. Álvaro* No, amigo; 465
cuanto de él se diga es falso.
Era un digno caballero
de pensamientos muy altos.
Retóme con razón harta,
y yo también le he matado 470
con razón. Sí, si aun viviera,
fuéramos de nuevo al campo,
él a procurar mi muerte,
yo a esforzarme por matarlo.
O él o yo solo en el mundo. 475
Pero imposible en él ambos.

*Capitán* Calmaos, señor don Fadrique:
aun no estáis del todo bueno
de vuestras nobles heridas,
y que os pongáis malo temo. 480

*D. Álvaro* ¿Por qué no quedé en el campo
de batalla como bueno? [1]
Con honra acabado hubiera,
y ahora, oh Dios . . ., la muerte anhelo,
y la tendré . . . pero ¿cómo? 485
En un patíbulo horrendo,
por infractor de las leyes,
de horror o de burla objeto.

*Capitán* ¿Qué decís . . .? No hemos llegado,
señor, a tan duro extremo; 490
aun puede haber circunstancias

que justifiquen el duelo,
y entonces . . .

*D. Álvaro* No, no hay ninguna.
Soy homicida, soy reo.

495 *Capitán* Mas, según tengo entendido
(ahora de mi regimiento
me lo ha dicho el Ayudante),
los generales, de acuerdo
con todos los coroneles,
500 han ido sin perder tiempo
a echarse a los pies del Rey,
que es benigno, aunque severo,
para pedirle . . .

*D. Álvaro* (*Conmovido.*) ¿ De veras ?
Con el alma lo agradezco,
505 y el interés de los jefes
me honra y me confunde a un tiempo.
Pero ¿ por qué han de empeñarse
militares tan excelsos,
en que una excepción se haga
510 a mi favor de un decreto
sabio, de una ley tan justa,
a que yo falté el primero ?
Sirva mi pronto castigo
para saludable ejemplo.
515 ¡ Muerte es mi destino, muerte,
porque la muerte merezco,
porque es para mí la vida
aborrecible tormento !
Mas ¡ ay de mí, sin ventura !

¿ Cuál es la muerte que espero ? 520
La del criminal, sin honra . . .
¡ En un patíbulo . . . ! ! ¡ Cielos ! ! !
(*Se oye un redoble.*)

## ESCENA IV

LOS MISMOS y el SARGENTO

*Sargento* Mi Capitán . . .

*Capitán* ¿ Qué se ofrece ?

*Sargento* El Mayor . . .

*Capitán* Voy al momento. (*Vase.*)

## ESCENA V

*D. Álvaro* ¡ Leonor ! ¡ Leonor ! Si existes, desdichada, 525
¡ oh, qué golpe te espera,
cuando la nueva fiera
te llegue adonde vives retirada,
de que la misma mano,
la mano ¡ ay triste ! mía, 530
que te privó de padre y de alegría,
acaba de privarte de un hermano !
No ; te ha librado, sí, de un enemigo,
de un verdugo feroz, que por castigo
de que diste en tu pecho 535
acogida a mi amor, verlo deshecho,
y roto, y palpitante,
preparaba anhelante,
y con su brazo mismo,

540 de su venganza hundirte en el abismo.
Respira, sí, respira,
que libre estás de su tremenda ira.
(*Pausa.*)
¡ Ay de mí ! Tú vivías,
y yo, lejos de ti, muerte buscaba,
545 y sin remedio las desgracias mías
despechado juzgaba ;
mas tú vives, ¡ mi cielo !,
y aun aguardo un instante de consuelo.
¿ Y qué espero ? ¡ Infeliz ! De sangre
un río,
550 que yo no derramé, serpenteaba
entre los dos ; mas ahora el brazo mío
en mar inmenso de tornarlo acaba.
¡ Hora de maldición, aciaga hora
fué aquella en que te vi la vez primera
555 en el soberbio templo de Sevilla,[1]
como un ángel bajado de la esfera
en donde el trono del Eterno brilla !
¡ Qué porvenir dichoso
vió mi imaginación por un momento,
560 que huyó tan presuroso
como al soplar de repentino viento
las torres de oro, y montes argentinos,
y colosos y fúlgidos follajes
que forman los celajes
565 en otoño a los rayos matutinos ! (*Pausa.*)
¡ Mas en qué espacio vago, en qué
regiones
fantásticas ! ¿ Qué espero ?
¡ Dentro de breves horas,

lejos de las mundanas afecciones,
vanas y engañadoras, 570
iré de Dios al tribunal severo ! (*Pausa.*)
¿ Y mis padres . . . ? Mis padres desdichados
aun yacen encerrados
en la prisión horrenda de un castillo . . .,
cuando con mis hazañas y proezas 575
pensaba restaurar su nombre y brillo
y rescatar sus míseras cabezas.
No me espera más suerte
que, como criminal, infame muerte.
(*Queda sumergido en el despecho.*)

## ESCENA VI

DON ÁLVARO y el CAPITÁN

*Capitán* ¡ Hola, amigo y compañero . . . ! 580

*D. Álvaro* ¿ Vais a darme alguna nueva ?
¿ Para cuándo convocado
está el Consejo de guerra ?

*Capitán* Dicen que esta noche misma
debe reunirse a gran priesa 585
De hierro, de hierro tiene
el Rey Carlos la cabeza.

*D. Álvaro* ¡ Es un valiente soldado !
¡ Es un gran Rey !

*Capitán* Mas pudiera
no ser tan tenaz y duro ; 590
pues nadie, nadie lo apea
en diciendo no.

*D. Álvaro* En los reyes
la debilidad es mengua.

*Capitán* Los jefes y generales
595 que hoy en Veletri se encuentran,
han estado [1] en cuerpo a verle
y a rogarle suspendiera [2]
la ley en favor de un hombre
que tantos méritos cuenta . . .
600 Y todo sin fruto. Carlos,
aun más duro que una peña,
ha dicho que no, resuelto,
y que la ley se obedezca;
mandando que en esta noche
605 falle el Consejo de guerra.
Mas aun quedan esperanzas:
puede ser que el fallo sea . . .

*D. Álvaro* Según la ley. No hay remedio;
injusta otra cosa fuera.

610 *Capitán* Pero ¡ qué pena tan dura,
tan extraña, tan violenta . . . !

*D. Álvaro* La muerte. Como cristiano
la sufriré: no me aterra.
Dármela Dios no ha querido,
615 con honra y con fama eterna,
en el campo de batalla,
y me la da con afrenta
en un patíbulo infame . . .
Humilde la aguardo . . . Venga.

620 *Capitán* No será acaso . . . aun veremos . . .
puede que se arme una gresca . . .

el Ejército os adora . . .
Su agitación es extrema,
y tal vez un alboroto . . .

*D. Álvaro* Basta . . . ¿ Qué decís ? ¿ Tal **piensa** 625
quien de militar blasona ?
¿ El Ejército pudiera
faltar a la disciplina,
y yo deber mi cabeza
a una rebelión . . . ? No, **nunca ;** 630
que jamás, jamás suceda
tal desorden por mi causa.

*Capitán* ¡ La ley es atroz, horrenda !

*D. Álvaro* Yo la tengo por muy justa ;
forzoso remediar era 635
un abuso . . .
(*Se oye un tambor y dos tiros.*)

*Capitán* ¿ Qué ?

*D. Álvaro* ¿ Escuchasteis ?

*Capitán* El desorden ya comienza.
(*Se oye gran ruido ; tiros, confusión y cañonazos, que van en aumento hasta el fin del acto.*)

## ESCENA VII

Los mismos y el SARGENTO, que entra muy presuroso.

*Sargento.* ¡ Los alemanes ! [1] ¡ Los enemigos están en Veletri ! ¡ Estamos sorprendidos !

*Voces Dentro.* ¡ A las armas ! ¡ A las armas ! 640

(*Sale el oficial un instante, se aumenta el ruido, y vuelve con la espada desnuda.*)

*Capitán.* Don Fadrique, escapad; no puedo guardar más vuestra persona; andan los nuestros
645 y los imperiales mezclados por las calles; arde el palacio del Rey; hay una confusión espantosa; tomad vuestro partido. Vamos, hijos, a abrirnos paso como valientes, o a morir como españoles. (*Vanse el Capitán, los centinelas y el Sargento.*)

## ESCENA VIII

650 *D. Álvaro* Denme una espada; volaré a la muerte,
y si es vivir mi suerte,
y no la logro en tanto desconcierto,
yo os hago, Eterno Dios, voto profundo
de renunciar al mundo
655 y de acabar mi vida en un desierto.

### FIN DE LA JORNADA CUARTA

# JORNADA QUINTA

## LA ESCENA ES EN EL CONVENTO DE LOS ÁNGELES[1] Y SUS ALREDEDORES

## ESCENA PRIMERA

El teatro representa lo interior del claustro bajo del convento de los Ángeles, que debe ser una galería mezquina, alrededor de un patiecillo con naranjos, adelfas y jazmines. A la izquierda se verá la portería; a la derecha la escalera. Debe de ser decoración corta, para que detrás estén las otras por su orden. — Aparecen el PADRE GUARDIÁN, paseándose gravemente por el proscenio y leyendo en su breviario; el HERMANO MELITÓN sin manto, arremangado, y repartiendo con un cucharón, de un gran caldero, la sopa, al VIEJO, al COJO, al MANCO, a la MUJER y al grupo de pobres que estará apiñado en la portería.

*Hno. Melitón.* Vamos, silencio y orden, que no están en ningún figón.

*Mujer.* Padre, ¡ a mí, a mí !

*Viejo.* ¿ Cuántas raciones quiere, Marica ?

*Cojo.* Ya le han dado tres, y no es regular . . . 5

*Hno. Melitón.* Callen, y sean humildes, que me duele la cabeza.

*Manco.* Marica ha tomado tres raciones.

*Mujer.* Y aún voy a tomar cuatro, que tengo seis chiquillos. 10

*Hno. Melitón.* ¿ Y por qué tiene seis chiquillos . . . ? Sea su alma.[2]

*Mujer.* Porque me los ha dado Dios.

*Hno. Melitón.* Sí . . . Dios . . . Dios . . . No los
15 tendría si se pasara las noches, como yo, rezando el rosario, o dándose disciplina.

*P. Guardián.* (*Con gravedad.*) ¡ Hermano Melitón . . . ! ¡ Hermano Melitón . . . ! ¡ Válgame Dios !

*Hno. Melitón.* Padre nuestro, si estos desarrapa-
20 dos tienen una fecundidad que asombra.

*Cojo.* ¡ A mí, padre Melitón, que tengo ahí fuera a mi madre baldada !

*Hno. Melitón.* ¡ Hola . . . ! ¿ También ha venido hoy la bruja ? Pues no nos falta nada.

25 *P. Guardián.* ¡ Hermano Melitón . . . !

*Mujer.* Mis cuatro raciones.

*Manco.* A mí antes.

*Viejo.* A mí.

*Todos.* A mí. A mí . . .

30 *Hno. Melitón.* Váyanse noramala, y tengan modo . . . ¿ A que les doy [1] con el cucharón . . . ?

*P. Guardián.* ¡ Caridad, hermano, caridad, que son hijos de Dios !

*Hno. Melitón.* (*Sofocado.*) Tomen, y váyanse . . .

35 *Mujer.* Cuando nos daba la guiropa el padre Rafael, lo hacía con más modo y con más temor de Dios.

*Hno. Melitón.* Pues llamen al padre Rafael . . ., que no los pudo aguantar ni una semana.

*Viejo.* Hermano, ¿ me quiere dar otro poco de
40 bazofia . . . ?

*Hno. Melitón.* ¡ Galopo . . . ! ¿ Bazofia llama a la gracia de Dios . . . ?

*P. Guardián.* Caridad y paciencia, hermano Melitón; harto trabajo tienen los pobrecitos.

*Hno. Melitón.* Quisiera yo ver a vuestra reverendísima lidiar con ellos un día, y otro, y otro. 45

*Cojo.* El padre Rafael . . .

*Hno. Melitón.* No me jeringuen con el padre Rafael . . . y . . . tomen las arrebañaduras. (*Les reparte los restos del caldero, y lo echa a rodar de una patada.*) Y a comerlo [1] al sol. 50

*Mujer.* Si el padre Rafael quisiera bajar a decirle los Evangelios a mi niño, que tiene sisiones . . .

*Hno. Melitón.* Tráigalo mañana, cuando salga a decir misa el padre Rafael. 55

*Cojo.* Si el padre Rafael quisiera venir a la villa, a curar a mi compañero, que se ha caído . . .

*Hno. Melitón.* Ahora no es hora de ir a hacer milagros; por la mañanita, por la mañanita, con la fresca. 60

*Manco.* Si el padre Rafael . . .

*Hno. Melitón.* (*Fuera de sí.*) Ea, ea, fuera . . . Al sol . . . ¡ Cómo cunde la semilla de los perdidos ! Horrio . . . ¡ afuera ! (*Los va echando con el cucharón y cierra la portería, volviendo luego muy sofocado y cansado donde está el Guardián.*) 65

## ESCENA II

El Padre Guardián y el Hermano Melitón

*Hno. Melitón.* No hay paciencia que baste, padre nuestro.

*P. Guardián.* Me parece, hermano Melitón, que no os ha dotado el Señor con gran cantidad de ella. 70 Considere que en dar de comer a los pobres de Dios desempeña un ejercicio de que se honraría un ángel.

*Hno. Melitón.* Yo quisiera ver a un ángel en mi lugar siquiera tres días . . . Puede ser que de cada guantada . . .

*P. Guardián.* No diga disparates.

*Hno. Melitón.* Pues si es verdad. Yo lo hago con mucho gusto, eso es otra cosa. Y bendito sea el Señor, que nos da bastante para que nuestras sobras sirvan de sustento a los pobres. Pero es preciso enseñarles los dientes. Viene entre ellos mucho pillo . . . Los que están tullidos y viejos, vengan enhorabuena, y les daré hasta mi ración, el día que no tenga mucha hambre; pero jastiales que pueden derribar a puñadas un castillo, váyanse a trabajar. Y hay algunos tan insolentes . . . Hasta llaman bazofia a la gracia de Dios . . . Lo mismo que restregarme siempre por los hocicos al padre Rafael; toma si nos daba más, daca si tenía mejor modo, torna si era más caritativo, vuelta si no metía tanta prisa.[1] Pues a fe, a fe, que el bendito padre Rafael a los ocho días se hartó de pobres y de guiropa, y se metió en su celda, y aquí quedó el hermano Melitón. Y por cierto, no sé por qué esta canalla dice que tengo mal genio. Pues el padre Rafael también tiene su piedra en el rollo,[2] y sus prontos y sus ratos de murria como cada cual.

*P. Guardián.* Basta, hermano, basta. El padre Rafael no podía, teniendo que cuidar del altar y que asistir al coro, entender en el repartimiento de la limosna, ni éste ha sido nunca encargo de un religioso antiguo, sino incumbencia del portero . . . ¿ Me entiende . . . ? Y, hermano Melitón, tenga más humildad y no se ofenda cuando prefieran al padre

Rafael, que es un siervo de Dios a quien todos de- 105
bemos imitar.

*Hno. Melitón.* Yo no me ofendo de que prefieran
al padre Rafael. Lo que digo es que tiene su genio.
Y a mí me quiere mucho, padre nuestro, y echamos
nuestras manos de conversación. Pero tiene de 110
cuando en cuando unas salidas, y se da unas palma-
das en la frente . . . y habla solo, y hace visajes
como si viera algún espíritu.

*P. Guardián.* Las penitencias, los ayunos . . .

*Hno. Melitón.* Tiene cosas muy raras. El otro 115
día estaba cavando en la huerta, y tan pálido y tan
desemejado, que le dije en broma: Padre, parece un
mulato; y me echó una mirada, y cerró el puño, y
aun lo enarboló de modo que parecía que me iba a
tragar. Pero se contuvo, se echó la capucha y 120
desapareció; digo, se marchó de allí a buen paso.

*P. Guardián.* Ya.

*Hno. Melitón.* Pues el día que fué a Hornachuelos
a auxiliar al alcalde, cuando estaba en toda su furia
aquella tormenta, en que nos cayó[1] la centella sobre 125
el campanario, al verlo yo salir sin cuidarse del aguacero ni de los truenos que hacían temblar estas
montañas, le dije por broma que parecía entre los
riscos un indio bravo, y me dió un berrido que me
aturulló . . . Y como vino al convento de un modo 130
tan raro, y nadie lo viene nunca a ver, ni sabemos
dónde nació . . .

*P. Guardián.* Hermano, no haga juicios temera-
rios. Nada tiene de particular eso, ni el modo con
que vino a esta casa el padre Rafael es tan raro como 135
dice. El padre limosnero, que venía de Palma, se

lo encontró muy mal herido en los encinares de Escalona, junto al camino de Sevilla, víctima, sin duda, de los salteadores, que nunca faltan en seme-
140 jante sitio, y lo trajo al convento, donde Dios, sin duda, le inspiró la vocación de tomar nuestro santo escapulario, como lo verificó en cuanto se vió restablecido, y pronto hará cuatro años. Esto no tiene nada de particular.

145 *Hno. Melitón.* Ya, eso sí... Pero, la verdad, siempre que lo miro me acuerdo de aquello que vuestra reverendísima nos ha contado muchas veces, y también se nos ha leído en el refectorio, de cuando se hizo fraile de nuestra orden el demonio,[1] y que
150 estuvo allá en un convento algunos meses. Y se me ocurre si el padre Rafael será alguna cosa así...; pues tiene unos repentes, una fuerza y un mirar de ojos...

*P. Guardián.* Es cierto, hermano mío; así consta
155 de nuestras crónicas y está consignado en nuestros archivos. Pero además de que rara vez se repiten tales milagros, entonces el Guardián de aquel convento en que ocurrió el prodigio tuvo una revelación que le previno de todo. Y lo que es yo, hermano
160 mío, no he tenido hasta ahora ninguna. Conque tranquilícese y no caiga en la tentación de sospechar del padre Rafael.

*Hno. Melitón.* Yo nada sospecho.

*P. Guardián.* Le aseguro que no he tenido revela-
165 ción.

*Hno. Melitón.* Ya, pues entonces... Pero tiene muchas rarezas el padre Rafael.

*P. Guardián.* Los desengaños del mundo, las

tribulaciones . . . Y luego el retiro con que vive, las continuas penitencias . . . (*Suena la campanilla de la* 170 *portería.*) Vaya a ver quién llama.

*Hno. Melitón.* ¿ A que son otra vez los pobres ? [1] Pues ya está limpio el caldero . . . (*Suena otra vez la campanilla.*) No hay más limosna ; se acabó por hoy, se acabó. (*Suena otra vez la cam-* 175 *panilla.*)

*P. Guardián.* Abra, hermano, abra la puerta. (*Vase. Abre el lego la portería.*)

## ESCENA III

EL HERMANO MELITÓN y DON ALFONSO vestido de monte, que sale embozado.

*D. Alfonso* (*Con muy mal modo y sin desembozarse.*)
De esperar me he puesto cano.
¿ Sois vos, por dicha, el portero ? 180

*Hno. Melitón* Tonto es este caballero. (*Aparte.*)
Pues que abrí la puerta es llano. (*Alto.*)
Y aunque de portero estoy,
no me busque las cosquillas,
que padre de campanillas [2] 185
con olor de santo soy.

*D. Alfonso* ¿ El padre Rafael está ?
Tengo que verme con él.

*Hno. Melitón* ¡ Otro padre Rafael ! [3] (*Aparte.*)
Amostazándome va. 190

*D. Alfonso* Responda pronto.

*Hno. Melitón* (*Con miedo.*) Al momento.
Padres Rafaeles . . . hay dos.
¿ Con cuál queréis hablar vos ?

*D. Alfonso* Para mí más que haya ciento.[1]
El padre Rafael . . . (*Muy enfadado.*)

195 *Hno. Melitón* ¿ El gordo ?
¿ El natural de Porcuna ?
No os oirá cosa ninguna,[2]
que es como una tapia sordo.
Y desde el pasado invierno
200 en la cama está tullido ;
noventa años ha cumplido.
El otro es . . .

*D. Alfonso* El del infierno.

*Hno. Melitón* Pues ahora caigo en quién es :
el alto, adusto, moreno,
205 ojos vivos, rostro lleno . . .

*D. Alfonso* Llevadme a su celda, pues.

*Hno. Melitón* Daréle aviso primero,
porque si está en oración,
disturbarle no es razón . . .
Y ¿ quién diré ?

210 *D. Alfonso* Un caballero.

*Hno. Melitón* (*Yéndose hacia la escalera muy lentamente, dice aparte.*)
¡ Caramba . . . ! ¡ Qué raro gesto !
Me da malísima espina,
y me huele a chamusquina . . .

*D. Alfonso* (*Muy irritado.*)
¿ Qué aguarda ? Subamos presto.
(*El Hermano se asusta y sube la escalera, y detrás de él don Alfonso.*)

## ESCENA IV

El teatro representa la celda de un franciscano.[1] Una tarima con una estera a un lado; un vasar con una jarra y vasos; un estante con libros, estampas, disciplinas y cilicios colgados. Una especie de oratorio pobre, y en su mesa una calavera; DON ÁLVARO, vestido de fraile franciscano, aparece de rodillas en profunda oración mental.

DON ÁLVARO y el HERMANO MELITÓN

*Hno. Melitón* ¡ Padre, Padre ! (*Dentro.*)

*D. Álvaro* (*Levantándose.*) ¿ Qué se ofrece ? 215
Entre, Hermano Melitón.

*Hno. Melitón* Padre, aquí os busca un matón, (*Entra.*)
que muy ternejal parece.

*D. Álvaro* (*Receloso.*)
¿ Quién, hermano . . . ? ¿ A mí . . . ? ¿ Su nombre ?

*Hno. Melitón* Lo ignoro ; muy altanero 220
dice que es un caballero,
y me parece un mal hombre.
Él muy bien portado viene,
y en un andaluz rocín ;
pero un genio muy ruïn, 225
y un tono muy duro tiene.

*D. Álvaro* Entre al momento quien sea.

*Hno. Melitón* No es un pecador contrito.
Se quedará tamañito (*Aparte.*)
230 al instante que lo vea. (*Vase.*)

## ESCENA V

*D. Álvaro* ¿ Quién podrá ser . . . ? No lo acierto.
Nadie, en estos cuatro años,
que huyendo de los engaños
del mundo, habito el desierto,
235 con este sayal cubierto,
ha mi quietud disturbado.
¿ Y hoy un caballero osado
a mi celda se aproxima ?
¿ Me traerá nuevas de Lima ?
240 ¡ Santo Dios . . . !, ¡ qué he recordado !

## ESCENA VI

Don Álvaro y Don Alfonso, que entra sin desembozarse, reconoce en un momento la celda, y luego cierra la puerta por dentro y echa el pestillo.

*D. Alfonso* ¿ Me conocéis ?

*D. Álvaro* No, señor.

*D. Alfonso* ¿ No veis en mis ademanes
rasgo alguno que os recuerde
de otro tiempo y de otros males ?
245 ¿ No palpita vuestro pecho,
no se hiela vuestra sangre,
no se anonada y confunde

vuestro corazón cobarde
con mi presencia . . . O, por dicha,
¿ es tan sincero, es tan grande, 250
tal vuestro arrepentimiento,
que ya no se acuerda el padre
Rafael de aquel indiano
don Álvaro, del constante
azote de una familia 255
que tanto en el mundo vale ?
¿ Tembláis y bajáis los ojos ?
Alzadlos, pues, y miradme.
(*Descubriéndose el rostro y mostrándoselo.*)

*D. Álvaro* ¡ Oh, Dios . . . ! ¡ Qué veo . . . ! ¡ Dios mío !
¿ Pueden mis ojos burlarme ? 260
¡ Del Marqués de Calatrava
viendo estoy la viva imagen !

*D. Alfonso* Basta, que está dicho todo.
De mi hermano y de mi padre
me está pidiendo venganza 265
en altas voces la sangre.
Cinco años ha que recorro,
con dilatados viajes,
el mundo para buscaros ;
y aunque ha sido todo en balde, 270
el cielo (que nunca impunes
deja las atrocidades
de un monstruo, de un asesino,
de un seductor, de un infame),
por un imprevisto acaso 275

quiso por fin indicarme
el asilo donde a salvo
de mi furor os juzgaste.
Fuera el mataros inerme
280 indigno de mi linaje.
Fuiste valiente, robusto,
aun estáis para un combate;
armas no tenéis, lo veo;
yo dos espadas iguales
285 traigo conmigo: son éstas;
(*Se desemboza y saca dos espadas.*)
elegid la que os agrade.

*D. Álvaro* (*Con gran calma, pero sin orgullo.*)
Entiendo, joven, entiendo,
sin que escucharos me pasme,
porque he vivido en el mundo
290 y apurado sus afanes.
De los vanos pensamientos
que en este punto en vos arden
también el juguete he sido;
quiera el Señor perdonarme.
295 Víctima de mis pasiones,
conozco todo el alcance
de su influjo, y compadezco
al mortal a quien combaten.
Mas ya sus borrascas miro,
300 como el náufrago que sale
por un milagro a la orilla,
y jamás torna a embarcarse.
Este sayal que me viste,
esta celda miserable,

este yermo, adonde acaso 305
Dios por vuestro bien os trae,
desengaños os presentan
para calmaros bastantes;
y más os responden mudos
que pueden labios mortales. 310
Aquí de mis muchas culpas,
que son, ¡ ay de mí !, harto grandes,
pido a Dios misericordia;
que la consiga dejadme.

*D. Alfonso* ¿ Dejaros . . . ? ¿ Quién . . . ? ¿ Yo dejaros 315
sin ver vuestra sangre impura
vertida por esta espada
que arde en mi mano desnuda?
Pues esta celda, el desierto,
ese sayo, esa capucha, 320
ni a un vil hipócrita guardan,
ni a un cobarde infame escudan.

*D. Álvaro* ¿Qué decís...? ¡Ah ..! (*Furioso.*)
(*Reportándose.*) ¡No, Dios mío...!
En la garganta se anuda
mi lengua . . . ¡ Señor . . . ! esfuerzo 325
me dé vuestra santa ayuda.
Los insultos y amenazas (*Repuesto.*)
que vuestros labios pronuncian,
no tienen para conmigo
poder ni fuerza ninguna. 330
Antes, como caballero,
supe vengar las injurias;
hoy, humilde religioso,

darles perdón y disculpa.
335 Pues veis cuál es ya mi estado,
y, si sois sagaz, la lucha
que conmigo estoy sufriendo,
templad vuestra saña injusta.
Respetad este vestido,
340 compadeced mis angustias,
y perdonad generoso
ofensas que están en duda.
(*Con gran conmoción.*)
¡ Sí, hermano, hermano !

*D. Alfonso* ¿ Qué nombre
osáis pronunciar . . . ?

*D. Álvaro* ¡ Ah . . . !

*D. Alfonso* Una
345 sola hermana me dejasteis
perdida y sin honra . . . ¡ Oh furia !

*D. Álvaro* ¡ Mi Leonor ! ¡ Ah ! No sin honra,
un religioso os lo jura.
¡ Leonor . . . ¡ ay !, la que absorbía
350 toda mi existencia junta ! (*En delirio.*)
La que en mi pecho por siempre . . .
Por siempre, sí, sí, . . . que aun dura . . .
una pasión . . . Y qué, ¿ vive ?
¿ Sabéis vos noticias suyas . . . ?
355 Decid que me ama y matadme. . . .
Decidme . . . ¡ Oh, Dios . . . ! ¿ Me rehusa
(*Aterrado.*)
vuestra gracia sus auxilios ?

¿ De nuevo el triunfo asegura
el infierno, y se desploma
mi alma en su sima profunda ? 360
¡ Misericordia . . . ! Y vos, hombre
o ilusión, ¿ sois, por ventura,
un tentador que renueva
mis criminales angustias
para perderme . . . ? ¡ Dios mío ! 365

*D. Alfonso* (*Resuelto.*)
De estas dos espadas, una
tomad, don Álvaro, luego ;
tomad, que en vano procura
vuestra infame cobardía
darle treguas a mi furia. 370
Tomad . . .

*D. Álvaro* (*Retirándose.*) No, que aun fortaleza
para resistir la lucha
de [1] las mundanas pasiones
me da Dios con bondad suma.
¡ Ah ! Si mis remordimientos, 375
mis lágrimas, mis confusas
palabras no son bastante
para aplacaros ; si escucha
mi arrepentimiento humilde
sin caridad vuestra furia, 380
(*Arrodíllase.*)
prosternado a vuestras plantas
vedme, cual persona alguna
jamás me vió . . .

*D. Alfonso* (*Con desprecio.*) Un caballero
no hace tal infamia nunca.

385 Quien sois bien claro publica
vuestra actitud, y la inmunda
mancha que hay en vuestro escudo.

*D. Álvaro* (*Levantándose con furor.*)
¿ Mancha . . . ? y ¿ cuál . . . ? ¿ cuál . . . ?

*D. Alfonso* ¿ Os asusta ?

*D. Álvaro* Mi escudo es como el sol, limpio
como el sol.

390 *D. Alfonso* ¿ Y no lo anubla
ningún cuartel de mulato ? [1]
¿ de sangre mezclada, impura ?

*D. Álvaro* (*Fuera de sí.*)
¡ Vos mentís, mentís, infame !
Venga el acero ; mi furia
(*Toca el pomo de una de las espadas.*)
395 os arrancará la lengua,
que mi clara estirpe insulta.
Vamos.

*D. Alfonso* Vamos.

*D. Álvaro* (*Reportándose.*) No . . . no triunfa
tampoco con esta industria
de mi constancia el infierno.
Retiraos, señor.

400 *D. Alfonso* (*Furioso.*) ¿ Te burlas
de mí, inicuo ? Pues cobarde
combatir conmigo excusas,
no excusarás mi venganza.
Me basta la afrenta tuya :
Toma. (*Le da una bofetada.*)

*D. Álvaro* (*Furioso y recobrando toda su energía.*)
¿ Qué hiciste . . . ? ¡ Insensato ! ! ! 405
Ya tu sentencia es segura :
hora es de muerte, de muerte.
El infierno me confunda.
(*Salen ambos precipitados.*)

## ESCENA VII

El teatro representa el mismo claustro bajo que en las primeras escenas de esta jornada. El HERMANO MELITÓN saldrá por un lado, y como bajando la escalera, DON ÁLVARO y DON ALFONSO, embozado en su capa, con gran precipitación.

*Hno. Melitón.* (*Saliendo al paso.*) ¿ Adónde bueno ? 410

*D. Álvaro.* (*Con voz terrible.*) Abra la puerta.

*Hno. Melitón.* La tarde está tempestuosa, va a llover a mares.

*D. Álvaro.* Abra la puerta.

*Hno. Melitón.* (*Yendo hacia la puerta.*) ¡ Jesús ! 415 Hoy estamos de marea alta. Ya voy . . . ¿ Quiere que le acompañe ? ¿ Hay algún enfermo de peligro en el cortijo . . . ?

*D. Álvaro.* La puerta, pronto.

*Hno. Melitón.* (*Abriendo la puerta.*) ¿ Va el Padre 420 a Hornachuelos ?

*D. Álvaro.* (*Saliendo con don Alfonso.*) Voy al infierno. (*Queda el hermano Melitón asustado.*)

## ESCENA VIII

*Hno. Melitón* ¡ Al infierno . . . ! ¡ Buen viaje !
También que era del infierno 425

dijo, para mi gobierno,
aquel nuevo personaje.
¡ Jesús, y qué caras tan . . . !
Me [1] temo que mis sospechas
430 han [2] de quedar satisfechas.
Voy a ver por dónde van.
(*Se acerca a la portería y dice como admirado:*)
¡ Mi gran Padre San Francisco [3]
me valga . . . ! Van por la sierra,
sin tocar con el pie en tierra,
435 saltando de risco en risco.
Y el jaco los sigue en pos
como un perrillo faldero.
Calla . . ., hacia el despeñadero
de la ermita van los dos.
(*Asomándose a la puerta con gran afán, a voces.*)
440 ¡ Hola... hermanos... hola... ! ¡ Digo... !
No lleguen al paredón·
miren que hay excomunión,
que Dios les va a dar castigo.
(*Vuelve a la escena.*)
No me oyen, vano es gritar.
445 Demonios son, es patente.
Con el santo penitente
sin duda van a cargar.
¡ El Padre, el Padre Rafael . . . !
Si quien piensa mal, acierta.[4]
450 Atrancaré bien la puerta . . .
Pues tengo un miedo cruel. (*Cierra la puerta.*)
Un olorcillo han dejado
de azufre . . . Voy a tocar

las campanas.
(*Vase por un lado, y luego vuelve por otro como con gran miedo.*) Avisar
será mejor al prelado. 455
Sepa que en esta ocasión,
aunque refunfuñe luego,
no el Padre Guardián, el lego
tuvo la revelación. (*Vase.*)

## ESCENA IX

El teatro representa un valle rodeado de riscos inaccesibles y de malezas, atravesado por un arroyuelo. Sobre un peñasco accesible con dificultad, y colocado al fondo, habrá una medio gruta, medio ermita, con puerta practicable, y una campana que pueda sonar y tocarse desde dentro: el cielo representará el ponerse el sol[1] de un día borrascoso; se irá obscureciendo lentamente la escena y aumentándose los truenos y relámpagos: DON ÁLVARO y DON ALFONSO salen por un lado.

*D. Alfonso* De aquí no hemos de pasar. 460

*D. Álvaro* No, que tras de estos tapiales,
bien sin ser vistos, podemos
terminar nuestro combate.
Y aunque en hollar este sitio
cometo un crimen muy grande, 465
hoy es de crímenes día,
y todos han de apurarse.[2]
De uno de los dos la tumba
se está abriendo en este instante.

*D. Alfonso* Pues no perdamos más tiempo, 470
y que las espadas hablen.

*D. Álvaro* Vamos: mas antes es fuerza
que un gran secreto os declare,
pues que de uno de nosotros
475 es la muerte irrevocable:
y si yo caigo es forzoso
que sepáis en este trance
a quién habéis dado muerte,
que puede ser importante.

480 *D. Alfonso* Vuestro secreto no ignoro.
Y era el mejor de mis planes
(para la sed de venganza
saciar que en mis venas arde),
después de heriros de muerte
485 daros noticias tan grandes,
tan impensadas y alegres,
de tan feliz desenlace,
que el despecho de saberlas,
de la tumba en los umbrales,
490 cuando no hubiese remedio,
cuando todo fuera en balde,
el fin espantoso os diera
digno de vuestras maldades.

*D. Álvaro* Hombre, fantasma o demonio,
495 que ha tomado humana carne
para hundirme en los infiernos,
para perderme . . . ¿ qué sabes . . . ?

*D. Alfonso* Corrí el Nuevo Mundo . . . ¿ Tiemblas . . . ?
Vengo de Lima . . . esto baste.

*D. Álvaro* No basta, que es imposible 500
que saber quién soy lograses.

*D. Alfonso* De aquel Virrey [1] fementido
que (pensando aprovecharse
de los trastornos y guerras,
de los disturbios y males 505
que la sucesión al trono
trajo a España) formó planes
de tornar su virreinato
en imperio, y coronarse,
casando con la heredera 510
última de aquel linaje
de los Incas (que en lo antiguo,
del mar del Sur a los Andes
fueron los emperadores),
eres hijo. De tu padre 515
las traiciones descubiertas,
aun a tiempo de evitarse,
con su esposa, en cuyo seno
eras tú ya peso grave,
huyó a los montes, alzando 520
entre los indios salvajes
de traición y rebeldía
el sacrílego estandarte.
No los ayudó fortuna,
pues los condujo a la cárcel 525
de Lima, do tú naciste . . .

(*Hace extremos de indignación y sorpresa don Álvaro.*)

Oye . . . espera hasta que acabe.
El triunfo del Rey Felipe

y su clemencia notable,
530 suspendieron la cuchilla
que ya amagaba a tus padres;
y en una prisión perpetua
convirtió el suplicio infame.
Tú entre los indios creciste,
535 como fiera te educaste,
y viniste ya mancebo
con oro y con favor grande,
a buscar completo indulto
para tus traidores padres.
540 Mas no, que viniste sólo
para asesinar cobarde,
para seducir inicuo,
y para que yo te mate.

*D. Álvaro* (*Despechado.*)
Vamos a probarlo al punto.

545 *D. Alfonso* Ahora tienes que escucharme, —
que has de apurar, ¡ vive el cielo !,
hasta las heces el cáliz.
Y si, por ser mi destino,
consiguieses el matarme,
550 quiero allá en tu aleve pecho
todo un infierno dejarte.
El Rey, benéfico, acaba
de perdonar a tus padres.
Ya están libres y repuestos
555 en honras y dignidades.
La gracia alcanzó tu tío,
que goza favor notable,
y andan todos tus parientes

afanados por buscarte
para que tenga heredero . . . 560

*D. Álvaro* (*Muy turbado y fuera de sí.*)
Ya me habéis dicho bastante . . .
No sé dónde estoy, ¡ oh cielos . . . !
Si es cierto, si son verdades
las noticias que dijisteis . . .
(*Enternecido y confuso.*)
¡ todo puede repararse ! 565
Si Leonor existe, todo.
¿ Veis lo ilustre de mi sangre . . . ?
¿ Veis . . . ?

*D. Alfonso* Con sumo gozo veo
que estáis ciego y delirante.
¿ Qué es reparación . . . ? Del mundo 570
amor, gloria, dignidades
no son para vos . . . Los votos
religiosos e inmutables
que os ligan a este desierto,
esa capucha, ese traje, 575
capucha y traje que encubren
a un desertor, que al infame
suplicio escapó en Italia,
de todo incapaz os hacen.
Oye cuál truena indignado (*Truena.*) 580
contra ti el cielo . . . Esta tarde
completísimo es mi triunfo.
Un sol hermoso y radiante
te [1]he descubierto, y de un soplo
luego he sabido apagarle. 585

*D. Álvaro* (*Volviendo al furor.*)
¿ Eres monstruo del infierno,
prodigio de atrocidades ?

*D. Alfonso* Soy un hombre rencoroso
que tomar venganza sabe.
590 Y porque sea más completa,
te digo que no te jactes
de noble . . . eres un mestizo,
fruto de traiciones . .

*D. Álvaro* (*En el extremo de la desesperación.*)
Baste.
¡ Muerte y exterminio ! ¡ Muerte
595 para los dos ! Yo matarme
sabré, en teniendo el consuelo
de beber tu inicua sangre.

(*Toma la espada, combaten y cae herido don Alfonso.*)

*D. Alfonso.* Ya lo conseguiste . . . ¡ Dios mío ! ¡ Confesión ! Soy cristiano . . . Perdonadme . . . salva
600 mi alma . . .

*D. Álvaro.* (*Suelta la espada y queda como petrificado.*) ¡ Cielos . . . ! ¡ Dios mío . . . ! ¡ Santa Madre de los Ángeles . . . ! ¡ Mis manos tintas en sangre . . . en sangre de Vargas . . . !

605 *D. Alfonso.* ¡ Confesión ! ¡ Confesión . . . ! Conozco mi crimen y me arrepiento . . . Salvad mi alma, vos que sois ministro del Señor . . .

*D. Álvaro.* (*Aterrado.*) ¡ No, yo no soy más que un réprobo, presa infeliz del demonio ! Mis palabras
610 sacrílegas aumentarían vuestra condenación. Estoy manchado de sangre, estoy irregular . . . Pedid a

Dios misericordia . . . Y . . . esperad . . . cerca vive un santo penitente . . . podrá absolveros . . . Pero está prohibido acercarse a su mansión . . . ¿ Qué importa ? Yo que he roto todos los vínculos, que he hollado todas las obligaciones . . . 615

*D. Alfonso.* ¡ Ah ! Por caridad, por caridad . . .

*D. Álvaro.* Sí ; voy a llamarlo . . . al punto . . .

*D. Alfonso.* Apresuraos, padre . . . ¡ Dios mío ! (*Don Álvaro corre a la ermita y golpea la puerta.*) 620

*D.ª Leonor.* (*Dentro.*) ¿ Quién se atreve a llamar a esta puerta ? Respetad este asilo.

*D. Álvaro.* Hermano, es necesario salvar un alma, socorrer a un moribundo : venid a darle el auxilio espiritual. 625

*D.ª Leonor.* (*Dentro.*) Imposible, no puedo, retiraos.

*D. Álvaro.* Hermano, por el amor de Dios.

*D.ª Leonor.* (*Dentro.*) No, no, retiraos.

*D. Álvaro.* Es indispensable, vamos. (*Golpea fuertemente la puerta.*) 630

*D.ª Leonor.* (*Dentro, tocando la campanilla.*) ¡ Socorro ! ¡ Socorro !

## ESCENA X

Los mismos y Doña Leonor, vestida con un saco, y esparcidos los cabellos, pálida y desfigurada, aparece a la puerta de la gruta, y se oye repicar a lo lejos las campanas del convento.

*D.ª Leonor.* Huid, temerario ; temed la ira del cielo. 635

*D. Álvaro.* (*Retrocediendo horrorizado por la*

*montaña abajo.*) ¡ Una mujer . . . ! ¡ Cielos . . . ! ¡ Qué acento . . . ! ¡ Es un espectro . . . ! Imagen adorada . . . ¡ Leonor ! ¡ Leonor !

640 *D. Alfonso.* (*Como queriéndose incorporar.*) ¡ Leonor . . . ! ¿ Qué escucho ? ¡ Mi hermana !

*D.ª Leonor.* (*Corriendo detrás de don Álvaro.*) ¡ Dios mío ! ¿ Es don Álvaro . . . ? conozco su voz . . . Él es . . . ¡ Don Álvaro !

645 *D. Alfonso.* ¡ Oh furia ! Ella es . . . ¡ Estaba aquí con su seductor . . . ! ¡ Hipócrita . . . ! ¡ Leonor ! ! !

*D.ª Leonor.* ¡ Cielos . . . ! Otra voz conocida . . . ! Mas ¿ qué veo . . . ? (*Se precipita hacia donde ve a don Alfonso.*)

650 *D. Alfonso.* ¡ Ves al último de tu infeliz familia !

*D.ª Leonor.* (*Precipitándose en brazos de su hermano.*) ¡ Hermano mío . . . ! ¡ Alfonso !

*D. Alfonso.* (*Hace un esfuerzo, saca un puñal y hiere de muerte a Leonor.*) Toma, causa de tantos

655 desastres, recibe el premio de tu deshonra . . . Muero vengado. (*Muere.*)

*D. Álvaro.* ¡ Desdichado . . . ! ¿ Qué hiciste . . . ? ¡ Leonor ! ¿ Eras tú . . . ? ¿ Tan cerca de mí estabas . . . ? ¡ Ay ! (*Se inclina hacia el cadáver de ella.*)

660 Aún respira . . ., aún palpita aquel corazón todo mío . . . Ángel de mi vida . . . vive, . . . vive, . . . yo te adoro . . . ¡ Te hallé, por fin . . . sí, te hallé . . . muerta ! (*Queda inmóvil.*)

## ESCENA ÚLTIMA

Hay un rato de silencio; los truenos resuenan más fuertes que nunca, crecen los relámpagos, y se oye cantar a lo lejos el *Miserere*[1] a la comunidad, que se acerca lentamente.

*Voz Dentro.* Aquí, aquí. ¡ Qué horror ! (*Don Álvaro vuelve en sí, y luego huye hacia la montaña.* 665 *Sale el Padre Guardián con la comunidad, que queda asombrada.*)

*P. Guardián.* ¡ Dios mío . . . ! ¡ Sangre derramada ! ¡ Cadáveres . . . ! ¡ La mujer penitente !

*Todos Los Frailes.* ¡ Una mujer . . . ! ¡ Cielos ! 670

*P. Guardián.* ¡ Padre Rafael !

*D. Álvaro.* (*Desde un risco, con sonrisa diabólica, todo convulso, dice:*) Busca, imbécil, al padre Rafael . . . Yo soy un enviado del infierno, soy el demonio exterminador . . . Huid, miserables. 675

*Todos.* ¡ Jesús, Jesús !

*D. Álvaro.* Infierno, abre tu boca y trágame. Húndase el cielo, perezca la raza humana ; exterminio, destrucción . . . (*Sube a lo más alto del monte y se precipita.*) 680

*P. Guardián y Los Frailes.* (*Aterrados y en actitudes diversas.*) ¡ Misericordia, Señor ! ¡ Misericordia !

FIN DEL DRAMA

# NOTES

# NOTES

**Page 2.** — 1. **Personajes:** Several of the names appearing in the dramatis personae are deserving of comment: Preciosilla reminds one (in name only, it goes without saying), of Preciosa, the heroine of *La gitanilla*, one of Cervantes' *Novelas ejemplares*. Even though the virtual identity in the names be considered as a coincidence, attention should, nevertheless, be called to Monipodio the *mesonero*, whose name, likewise, is to be found in one of Cervantes' novels (*cf.* note 3, p. 30). That the Duque de Rivas was following a Plautine custom in assigning names with comic connotations is borne out by the inclusion of Curra (a showy or loud person; also, a native of Cádiz), Melitón (plausibly interpreted as the augmentative of *melito*, a medicinal syrup), and Trabuco (catapult or blunderbuss). Paco is, of course, a colloquial form of Francisco, and may be translated by *Frank*.

**Page 3.** — 1. **Sevilla:** Seville, capital of the province of Seville, and the chief city of Andalusia. It was originally an Iberian town, and passed successively through the hands of Romans, Vandals, Visigoths and Moors, before becoming a part of the Spanish nation. Seville contains numerous works of art, monuments and notable edifices (the Cathedral, Alcázar and Giralda) which attract tourists, who resort there in throngs during the elaborate church festivals of Easter week (*Semana Santa*). The city occupies an important place in the Spanish business world by virtue of its industrial and shipping activities (being situated on the Guadalquivir, 54 miles from the Atlantic Ocean). The inhabitants are famous for their sparkling wit and " light-hearted hedonism." Pop., 210,000.

2. **antiguo puente de barcas de Triana:** The ancient Moorish bridge of boats across the Guadalquivir that linked the main part of Seville with the *Arrabal de Triana*. This time-honored structure was replaced in 1845–52 by an iron bridge, called the *Puente de Triana* or *de Isabel Segunda*.

3. ***Agua de Tomares:*** Mineral water from Tomares, a small village three miles from Seville.

4. **Arrabal de Triana:** A picturesque quarter of Seville, situated on the right bank of the Guadalquivir (across the river from the major portion of the city), and inhabited largely by gypsies and members of the lower strata of society. For centuries the *Arrabal de Triana* has been the potters' suburb of Seville, and was formerly famous for the manufacture of glazed tiles (*azulejos*).

5. **la Huerta de los Remedios:** Not mentioned even in such an authoritative work as Madoz, *Diccionario geográfico, etc.*

6. **la Alameda:** The reference is probably to the modern *Paseo de Cristóbal Colón* (the *Alameda* par excellence of eighteenth-century Seville), which skirts the Guadalquivir, across the river from the *Arrabal de Triana*.

7. **el ponerse el sol:** *i.e., a sunset scene.* This semi-substantival use of the Infinitive is of frequent occurrence in *Don Álvaro*, and should be rendered in English either by the Infinitive or by a Noun construction, depending on the extent to which the Infinitive has lost its verbal quality. *Cf.* p. 4, l. 9; p. 6, line 91, etc.

**Page 4.** — 1. **que,** with the meaning of *for* or *because,* is particularly common in spoken Spanish, and is used repeatedly in the play, especially in passages of a colloquial nature. It is satisfactorily explained by Bello as short for *porque* (Bello-Cuervo, 992 e).

2. **ni verla quiero:** *I don't even want to see it . . .*

3. **¡Qué se ha de encelar de ti . . . !** *I hope you don't think she will become jealous of you! . . .*

**Page 5.** — 1. **usía:** A shortened form of *vuestra señoría*, is comparable in its development to that of *usted* from *vuestra merced* (*cf.* the use of *su señoría*, p. 5, l. 44, and *su merced*, p. 3, l. 3, and p. 4, l. 31). Schematic lists of the forms derived from *vuesa merced* and *vuestra merced* are to be found in Bello-Cuervo, *Gramática castellana*, note 50.

2. **en descansando:** *after you rest a little . . .*

3. **Borcinería:** This is perhaps identical with *Borceguinería*, a *barrio* in the southwestern part of Seville.

4. **Utrera:** A town of 15,000 inhabitants in the province of Seville, 18 miles southeast of the city of Seville. The rich agricultural district in the vicinity is well known for the breeding of bulls for the ring.

**Page 7.** — 1. **me:** The so-called ethical dative (of advantage). It is usually untranslatable.

2. **¡Y vaya un hombre valiente!** *He certainly is a brave man!*

3. **la Alameda Vieja:** The modern *Alameda de Hércules*, a promenade in the northeastern part of Seville, much frequented by the lower classes of society.

4. **¿lo es don Álvaro?** This neuter *lo* has a demonstrative force, referring back to the noun antecedent *caballeros*. Translate: *Is Don Álvaro one?*

5. **Se dicen tantas y tales cosas de él:** *They tell all sorts of things about him . . .*

**Page 8.** — 1. **siendo:** *when he was . . .*

2. **que no:** an elliptical expression (= *que no era tal hijo*).

3. **eso:** Supply *es*.

4. **cada uno es hijo de sus obras:** *i.e., every man is the child of his works.* It is interesting to note that Cervantes quotes this proverb in *Don Quijote* (part I, chap. IV., ed. *La Lectura*, v. I., p. 119).

5. **el Aljarafe:** a former Arabic region which included all of the modern province of Huelva (to the east of Seville) and some contiguous territory.

**Page 9.** — 1. **el don:** colloquial use of the article.

**Page 10.** — 1. **recién nacida:** *shortly after her birth . . .*

2. **En nombrando el ruin de Roma, luego asoma:** *Cf.* our proverb *Speak of the devil and he doth appear.*

3. **¿Adónde irá?** *Where can he be going? irá* is a Future of Probability; future in form, but present in point of time. A considerable number of instances of this idiomatic Future are to be found throughout the play.

4. **al Altozano:** apparently a quarter or locality near the *Puerta del*

*Altozano*, which is in the *Triana* and to the right of the *Puente de Isabel Segunda*.

**Page 11.** — 1. **viniendo:** *Cf.* note 1, p. 8.

2. **San Juan de Alfarache:** a hamlet in the outskirts of the *Arrabal de Triana*, and in Moorish times the river key to Seville.

3. **¡ Cada relámpago . . . herraduras!** *i.e.*, *¡ Cómo relampagueaban las herraduras (de su jaca)!*

**Page 13.** — 1. **la hallará buena:** *will find a good one.*

**Page 14.** — 1. **lo,** *i.e.*, *satisfecho; cf.* note 4, p. 7.

2. **A dormir:** Supply *vete* or *vámonos*.

**Page 15.** — 1. **Me:** See note 1, p. 7. The *me* in the present instance, however, is a dative of disadvantage, not of advantage.

2. **Señor:** *master*. The omission of the article is regular in references made by servants to their masters. *Cf.* Calderón, *Guárdate del agua mansa* (Act 1, Scene 5, *Bib. de aut. esp.*, vol. IX, p. 378): *¿ Qué le has dueñado a señor? — What in the world have you been gossiping about to the old man?*

3. **cerró:** The subject is el Marqués, who is also the person alluded to in l. 322.

4. **en ello:** The *ello* refers to the preparations described in the preceding clause and may be omitted in English.

5. **me:** ethical dative; *cf.* note 1, p. 7.

**Page 16.** — 1. **¡ Si penetrases cómo tengo el alma!** *If you could only divine the state of my emotions!*

2. **no me resuelvo:** *I cannot make up my mind . . .*

3. **queda,** in a contrary to fact condition, conveys much more vividness than the customary Imperfect Subjunctive (*-ra* or *-se*). For a similar use of the Imperfect Indicative, *cf.* p. 68, l. 207.

**Page 17.** — 1. **arrastrarle:** Supply *vería usted*. Note the passive force of the Infinitive and also the use of the Present Participle *revolcándose* (l. 378) in a parallel construction.

2. **veros:** In the drama *vos* is permissible for either *usted* or *tú*, and in some cases the speaker shifts from *vos* to *usted*, or from *vos* to *tú* (or vice versa), without implying any change in his attitude toward his interlocutor. In invocations to God or the Virgin both *tú* and *vos* are at times used together in the same entreaty, as at p. 40, ll. 306, 307. The change from *vos* to *tú* (or vice versa) may carry with it the same implications conveyed by the use of *tú* and *usted* in ordinary, non-dramatic Spanish. Whether or not *vos* is to be interpreted as the virtual equivalent of *tú* or *usted* depends upon the context. Finally, the normal distinctions between *tú* and *usted* are observed throughout the play.

3. **y necio de enamorarse,** *i.e.*, *el necio tuvo la desgracia grande de enamorarse de quien no le corresponde.* There is a covert pun in *no le corresponde*, which may mean either *does not reciprocate his love* or *is unsuitable to him in social rank* (in this case, *is too high for him*).

**Page 19.** — 1. **cuando sepa hay:** In Spanish the conjunction *que* may be omitted when the verbs of both the principal and subordinate clauses are in juxtaposition. The rule further stipulates (Bello-Cuervo, *Gram. cast.*, #982) that only the word *no* and postpositive pronouns can separate the two verbs.

2. **¡ Jesús, y qué cosas tienes!** *Good heavens, what queer ideas you have!*

**Page 20.** — 1. **¿Habrá . . . tenido . . . ?** *Can he have had . . . ?* (Future Perfect of Probability).

2. **Pecho al agua, y adelante:** *Pluck up your courage,— and on we go!*

**Page 23.** — 1. **numen . . . indiana:** Don Álvaro's description of the sun as protector of his sovereign race, eternal god of Indian lands, is due to the adoration of the sun by all the peoples whom the Spaniards found in the New World. In both Americas sun worship was the central and indispensable cult; sunrise was one of the rigidly prescribed moments of ceremony, and, Don Álvaro considered, the most propitious for the wedding, especially since he was descended from the sun-born Inca dynasty.

**Page 25.** — 1. **abrir y cerrar puertas:** *the opening and closing of doors. Cf. galopar*, l. 592.

2. **¿Se habrá puesto . . . ?** Future Perfect of Probability. *Cf.* also l. 587.

**Page 26.** — 1. **¿Qué será de . . . ?** *What will become of . . . ?*

**Page 29.** — 1. **Hornachuelos:** A town in the Province of Córdoba, about 32 miles southwest of the City of Córdoba. In the vicinity there are a number of hermitages. Population in 1920, 5516 (including the outlying districts). Half a league from Hornachuelos is situated the *Convento de los Ángeles*, which serves as the setting for the fifth *Jornada* of the play. *Cf.* p. 111, note 1. E. Allison Peers, in *Rivas and Romanticism in Spain* (Liverpool, 1923, p. 87), speaks of the setting of this act in the following words: "Then there is Hornachuelos: even the Spaniard of another region will recognize his country in this picture. A *romería* (popular pilgrimage) is on foot, and the village is in animation. Here we have the inn with its conglomeration of miscellaneous characters,— natives and travellers, the muleteers, the innkeeper, the village gossips, the student and the alcalde."

**Page 30.** — 1. **Abrenuntio:** A Latin word, borrowed from the sacrament of baptism, where it is used in reply to the priest's demand if the person to be baptised renounces (*abrenuntio = I renounce*) the world, the devil, and the flesh. Translate by some such verb as *quit* or *retire (from)*.

2. **Se agradece:** Polite formula for declining the invitation, his reason being that he prefers not to ask the blessing.

3. **Monipodio:** It is interesting to note that in Cervantes' *Rinconete y Cortadillo* there is a sort of master-thief who bears this name, but of course we are unable to determine whether or not Rivas borrowed the name of this personage for the *mesonero* of the play; *cf.*, however, n. 1, p. 2.

4. **Allá voy:** *gladly . . .*

5. **In nomine . . . Sancti:** *i.e., in the name of the Father, the Son, and the Holy Ghost.*

6. **Se van acomodando:** *They proceed to arrange themselves . . .*

**Page 31.** — 1. **la Tía Ambrosia:** She misunderstands *ambrosía* (accent on *í*) in line 45, confusing it with her rival *Ambrosia* (accent on *o*). **ni sirve . . . zapato:** See Mark 1, 7.

2. **no lo dije por tanto:** *I didn't say it with any such intention.*

3. **Y de las bodas de señores, no le parezca a usted . . . :** *And as for the weddings of people of quality, don't for a moment think . . .*

4. **tu das . . . divum:** Words addressed by Æolus to Juno in Book I, l. 79, of the *Æneid;* the word *mihi*, however, is not in the Latin text. Trans.: *you grant me to sit at the tables of the gods.*

5. **si es que lo hay:** *if there is any* (*to be had*).

6. **¿ Cómo que si lo hay?** Freely: *you ask me if there is any?*

**Page 32.** — 1. **había de faltar:** could it be lacking . . .

2. **el jubileo de la Porciúncula:** A religious festival which commemorates the granting of a special grace to Saint Francis by Christ at the *Iglesia de Nuestra Señora de Porciúncula*, the mother-church of the Franciscan Order (near Assisi, Italy; the name *Porciúncula* comes from the small portion of land containing a hermitage, given to Saint Francis for the purpose of founding a church). On the second of August, the date of the festival, the visitor to *La Porciúncula*, or to any other church of the Franciscan Order (or any authorized church not belonging to the Franciscans), may obtain an indulgence in the form of remission of temporal punishment. This festival, which is commonly called *El jubileo de los Ángeles* by the Spanish people, took root in Spain toward the end of the Sixteenth Century, and came to be extremely popular, while the granting of the grace to Saint Francis served as the theme for well-known paintings by Murillo and Cano.

3. **el convento de San Francisco de los Ángeles:** *Cf.* the stage-directions of Act II, Scene III (pp. 39–40) and Act V, Scene I (p. 111), and also note 1, p. 50.

4. **por la buena compañía:** In toasts, *por*, meaning *to* (to the health of) is regularly used with or without the verb *brindar* (to drink a toast).

**Page 33.** — 1. **Yo no sé nunca a lo que van ni vienen los que viajan conmigo:** *I never know the business of those who travel with me.*

2. **se me va quedando la lengua dormida:** *my tongue is going to sleep,* — *i.e., I'm tired of talking.*

3. (lines 133–5). **y eso que traía . . . compasión:** The *mesonera* means to say that the strange guest impressed her as being handsome, "*in spite of the fact that his eyes were in a pitiable condition from weeping and from the dust.*" The antecedent of *lo* is *rostro.*

**Page 34.** — 1. **¿ Quién . . . te mete . . . ?** Freely: *who gave you permission . . . ?*

**Page 35.** — 1. **No lo dije por tanto:** See note 2, p. 31.

**Page 36.** — 1. **in utroque** (supply *jure*): in both branches of law (canonical and civil).

**Page 37.** — 1. **¿ Quién te mete a ti . . . ?** See note 1, p. 34.

2. **y a recogerse:** *Cf.* note 2, p. 14, and note 1, p. 113. *recogerse* may be explained as an ellipsis for some such expression as *que se vaya todo el mundo a recogerse.*

**Page 38.** — 1. **vas:** The same sense of certainty is in *temo* as if it were *creo*, hence *vas* is properly indicative; *temer* is no longer so used, but numerous examples might be cited from former times. The same construction may be seen at page 99, line 372, and at page 128, lines 429–430.

**Page 39.** — 1. **quiera Dios no haya cargado:** The insertion of the word *Dios* between the two verbs (with *que* omitted) apparently violates the rule given in note 1, p. 19, but *Dios* may be regarded as inseparable from *quiera.*

2. **no charlar:** an instance of the infinitive used as an Imperative. For further details, *cf.* Bello-Cuervo, *Gram. cast.*, *Notas*, p. 62.

**Page 40.** — 1. **sería:** *could be* (Conditional of Probability).

2. **dijo ser** (= *dijo que era*): a construction occasionally condemned by purists.

**Page 41.** — 1. **lo**: the reference is to *verdadera; cf.* note 4, p. 7, and note 1, p. 14.

**Page 45.** — 1. **aquí sólo puedo yo**: Supply *hablar;* Leonor refuses the invitation of the Padre Guardián because no woman is allowed to set foot in a monastery.

**Page 46.** — 1. **Ya me la echó de guardián**: Freely, *he certainly has dangled his authority before my eyes.*

**Page 47.** — 1. **cual**: *who are . . .*

**Page 48.** — 1. **benigno**: To be translated as an Adverb. There are many cases of the Adverbial Adjective scattered throughout the play.

2. **permitís tengan efecto**: See note 1, p. 19.

3. **lo**: *i.e., desgraciada; cf.* p. 7, n. 4 and p. 14, n. 1.

**Page 49.** — 1. **abrigo** is a noun here, and is one of the objects of the verb *busco.*

**Page 50.** — 1. (ll. 533 ff.), **Vengo resuelta, . . . de estos riscos**:— The retirement of Doña Leonor to a life of penance was suggested to Rivas by a legend involving a penitent woman who had similarly secluded herself in the year 1496 in the *Montaña de los Ángeles*, in the vicinity of Hornachuelos, which, incidentally, is the *áspera montaña* described in the stage-directions of Act II, Scene III (pp. 39–40), and also serves as the setting of Scene IX, Act V (p. 129). The legend was associated with the nearby *Convento (de San Francisco) de los Ángeles*, the Franciscan monastery where the story was recorded in one of its forms.

**Page 51.** — 1. **San Francisco**: Saint Francis of Assisi (1181[2?]–1226), the founder of the Franciscan Order (*cf.* note 1, p. 119, and note 2, p. 32. A gallant youth, characterized by a fondness for care-free reveling and feats of arms, he was prompted by two successive illnesses and by the sight of a leper to exchange his former way of living for a life of poverty and social service. From the nucleus of disciples who elected to follow his teachings arose the powerful Franciscan Order, with its various branches, governed by the rules laid down by the Saint. Some of his outstanding qualities were an all-embracing sympathy, sincerity, simplicity of character, and the desire to better the lot of his fellow men, especially those of the poorer classes.

**Page 52.** — 1. **quien**: An archaic use of *quien* for *que* (as well as *el que* and *el cual*), which was relatively common in the Spanish of the *siglo de oro; cf.* also, note 1, p. 82.

**Page 55.** — 1. **tierra**: *mere clay, . . .*

**Page 56.** — 1. **de**: *within . . .*

**Page 58.** — 1. **el pan de vida y de salud eterna**: *i.e., Holy Communion.*

**Page 60.** — 1. **Veletri**: A picturesque town of some 15,000 inhabitants in the province of Rome, 26 miles southeast of the city of Rome. It will be remembered in ancient history as the Volscian *Velitrae*, a member of the Latin League in 499 B.C., and a Roman colony in 494; in 393 it revolted and became the strongest opponent of Rome, but was finally reduced in 338. In *Don Álvaro*, Veletri (or *Velletri*) is the scene of one of the battles of the War of the Austrian Succession (1740–48). This war was primarily a struggle between Prussia and Austria for the possession of Silesia, but after 1741 nearly all of the European powers were involved. Spain, Bavaria, and France came to the aid of Prussia against the House of Austria, and her allies, England, Holland, Sardinia, and Saxony.

Spain, the traditional rival of Austria (*cf.* note 1, p. 131, lines 502 ff., for the War of the Spanish Succession), was further actuated by the designs of her intriguing queen, Isabel de Farnesio, who was seeking as a kingdom for her son Philip parts of northern Italy held by the Austrians. Another son, King Charles of Naples (for more detailed information, *cf.* note 1, p. 96), had joined forces with the Spaniards at Veletri, where he decided to await the arrival of the Austrian army, which was advancing southward under the command of Prince Lobcowitz (or *Lobkowitz*). The Austrians proceeded to occupy a range of hills some two miles from the town of Veletri, in which Charles had established his head-quarters. During the night of June 15, 1744, King Charles led an attack against the Austrian position, but from that date till the 10th of August there were no major engagements. Skirmishes, however, were of almost daily occurrence, and it was evidently one of these minor encounters which served as the theme for the action described in Scenes V and VI (pp. 73–4).

Finally, in Scene VII of Act IV (pp. 109–10), we reach the so-called Battle of Veletri. In a surprise attack on the night of August 10, 1744, the Austrians broke into the camp of King Charles at Veletri, sweeping everything before them with fire and sword. The King, awakened by the turmoil, flung himself through the window of his chamber, and hastened to rally his panic-stricken forces. Three hours later the Austrians were fleeing headlong, in a decisive defeat that marked the end of their advance upon Naples.

**Page 61.** — 1. **pilíes:** Not in the dictionaries. The word may be of Gypsy origin; or perhaps it is coined on *pillo* (*rogue, rascal*). The meaning in the present instance seems to be *regimental officers*, who would naturally be rivals of staff-officers like Carlos.

2. **florida:** The *oficial* is punning on the double meaning of the word, *i.e., flowery, full of flowers*, and *choice, select, "hand-picked."*

3. **No hay que jugar ases ni figuras:** In *Twenty-One* (*Veintiuna* or *Black-Jack*), the card-game played, in one of its forms, in Scene II, face-cards (*figuras*) count ten points each, and aces may be reckoned as either one or eleven. The dealer says: "*We must be careful about dealing aces and face-cards,*" because the opponent would win the hand, except in case of a tie, if he received an ace and a face-card (11 + 10 = 21); if he received two face-cards (10 + 10 = 20), he would frequently win, since this combination is more common than that of ace + face-card which the dealer would need in order to win from two face-cards in his opponent's hand.

All other cards retain their face value. The object of the game is to get twenty-one, or as near to it as possible without passing it. The players win from the dealer if the total points of their cards are closer to twenty-one than those of the dealer, and vice-versa: *e.g.:* Don Carlos wins the first hand from the dealer (p. 62, lines 58–63) by drawing twenty-one (ace [11] + king [10]), as against the dealer's nineteen (jack [10] + 9). In the second hand (p. 63, lines 66 ff.) Don Carlos receives a jack and a tray (10 + 3); the dealer slips the *caballo* (= queen) behind the five which he deals to himself, so that it (the *caballo*) will fall to Carlos, thereby causing the point total in his hand to exceed twenty-one (10 + 3 + 10). In one form of the game, the jack (particularly the black jack, or jack of spades, or clubs), is considered a highly desirable card (especially when paired with an ace), hence the dissatisfaction of the dealer in lines 42–50 (p. 62).

4. **tres . . . nueve:** Not three cards, but the *tray* and the *nine* (as also on pp. 62–3).

**Page 62.** — 1. **Toditos:** *Every last one of them . . .*

**Page 63.** — 1. **Pegarle fuego:** *Take it out of the pack!* (*i.e., Get it out of my sight!* or *Get rid of it!*) The expression *pegarle fuego*, applied to a so-called "burnt card," is a part of the technical jargon of the casino. But in the present instance it would seem to be used in a figurative sense. The use of the Infinitive with Imperative force, as exemplified in *pegarle*, is not unusual in Spanish. *Cf.* p. 39, n. 2.

2. **¿Con carta tapada?** *With your card face-down?* (*Before you look at your card?*)

3. (lines 72–73). Pedraza considers the *tray* a desirable card, since its low value almost never causes the point total of a hand to exceed twenty-one. The dealer ironically remarks: "*When the bet on it is not increased,*" — *i.e.*, the *tray*, which is in his opponent's hand, appears relatively *bonita* to him, more so than if the bet on it had been raised. — Another possible interpretation of the dealer's words would run: "*When there's no money on it, it may look all right, but I don't see any beauty in it when I am losing.*"

**Page 64.** — 1. **¿Qué puede . . . ladrones?** *What chance has a den of thieves against a brave man?*

**Page 65.** — 1. **pena . . . llena,** *penalty for not fulfilling its object.*

**Page 66.** — 1. **fortuna hubiese fijado:** *had sealed my doom . . .*

2. **uno sólo, nada más:** *just one, and only one, . . .*

**Page 67.** — 1. **¿Qué . . . pro?** *What does Italy hold for me?*

**Page 68.** – 1. **el que lo lleva consigo:** *he who is his own.*

2. **por caballero:** *i.e., por ser caballero.*

3. **estaba perdido:** The Imperfect Indicative is used here in place of the Conditional (or the Imperfect Subjunctive in *-ra*), and heightens the vividness of the action; however, the exigencies of the meter may have influenced the choice of tense.

**Page 69.** — 1. **el ser recién llegado:** *the fact that I have but recently arrived . . .*

**Page 70.** — 1. **que he venido:** Bello prefers the third person in this construction, but admits that the use of the first person is also authorized by usage (*Gram. cast.*, #110. For a more detailed discussion of this point, *cf.* Ramsey, *Textbook of Modern Spanish*, #710 ff.).

2. **del General Briones:** Evidently a fictitious personage, so far as can be ascertained.

**Page 72.** — 1. **seréis:** *must be . . .* (Future of Probability).

2. **si sois cual cortés valiente:** *if you are as valiant as you are courteous.*

**Page 73.** — 1. **lo entiende:** *knows what he is about . . .*

2. **los alemanes:** *i.e.*, the Austrians (*cf.* note 1, p. 60).

**Page 77.** — 1. **de Santiago o Calatrava:** two well-known Spanish military orders. The *Orden de Calatrava*, the oldest of them all, was founded in 1158 in order to defend the town of Calatrava against the attacks of the Moors. The members must give proof of noble blood and promise solemnly to defend the Catholic Church. The insignia are ornate red crosses worn on the breast of the uniform and on the sleeve of the cloak. The *Orden de Santiago* — or Saint James the Greater — was likewise founded in the Twelfth Century (1170–75 *ca.*), and differs mainly from the Order of Calatrava in that it follows the milder rule of the canons of Saint Augustine, rather than the strict Benedictine rule adopted by the knights of Calatrava. Its insignia consist of a red cross terminating in a sword, and a shell (symbolic of the pilgrimages to Santiago de Compostela, where the remains of Santiago, the patron saint of Spain, are supposed to rest).

**Page 78.** — 1. **lo:** *i.e., lista; cf.* note 4, p. 7.

**Page 81.** — 1. (ll. 489, 490, 491 and 495) These four Futures of Probability are to be translated: **hallará** by *can find*, **sabrá** by *must know*, **será** by *must be*, and **podrá** by *can.*

2. **de:** *to.*

**Page 82.** — 1. **a quien:** A certain amount of personification is implied in this use of *quien* referring to the *urna fatal;* metric and euphonic reasons may also have been influential in the choice of Relative.

**Page 83.** — 1. **amancillando:** *by sullying . . .* ?

**Page 84.** — 1. **lo hay:** *there is one* (*indicio*); *cf.* note 4, p. 7.

2. **como de retrato:** *of the kind used for portraits.*

3. **Pandora,** in classical mythology, was a beautiful woman — the first of her sex to inhabit the earth — who was created by Vulcan at the behest of Jupiter in order to punish Prometheus for the theft of fire. She brought with her from Heaven a box containing all the evils, which spread to every corner of the earth when the box was opened.

**Page 86.** — 1. **Estoy como si tal cosa:** *I feel as if nothing at all had happened to me.*

**Page 87.** — 1. **he estado:** *estado* in this construction is practically equivalent to *ido; cf.* the parallel substitution in French of *j'ai été me présenter* for *je suis allé me présenter.*

**Page 88.** — 1. **los imperiales:** *the Imperial troups, i.e.*, the Austrians.

2. **quien:** Modern usage prefers *quienes* when the antecedent is in the plural, although the singular still is occasionally employed; however, *quien* was preferred up to the Golden Age, but was gradually supplanted by the plural form; *cf.* Bello-Cuervo, *Gram. cast.*, #329, and note 59.

**Page 90.** — 1. **nunca fui:** *I never went out of my way . . .*

**Page 91.** — 1. **evité:** *tried to avoid . . .*

2. **cuán diferente sido:** = *qué diferente hubiera sido . . .* The subject of the verb in the preceding line is *yo.*

3. **La habrá:** *there will be that* (*sangre*); *cf.* the similar use of *lo* on p. 31, ll. 70–1, and p. 84, l. 566.

**Page 93.** — 1. **de caballero:** *i.e., de ser caballero . . . ?*

**Page 94.** — 1. **Y el perseguirla he dejado:** *And I have abandoned the pursuit . . .*

**Page 96.** — 1. **El Rey Carlos de Nápoles:** Charles of Bourbon (1716–88), the son of Philip V of Spain and Isabel de Farnesio, was King of Naples from 1734 to 1759. Under his benevolent rule Naples became a prosperous and well-regulated kingdom, many buildings and monuments were erected, and much-needed reforms were introduced into the judicial and administrative machinery of the state. It would appear, however, that the edict against dueling mentioned in the play is without historical basis. As a military leader he gained renown for his victories over the Austrians, both in 1732–4, when he drove them out of Naples, and in 1744, when he defeated them at Veletri (*cf.* p. 60, n. 1). Upon the death of his father, in 1759, he returned to Spain, where, under the name of Charles III, he proved to be as enlightened a monarch as he had been at Naples.

2. **pena de muerte, nada menos:** *nothing short of the death penalty.*

3. **cada uno arrima el ascua a su sardina:** A Spanish proverb; *cf.* the Danish equivalent *Every one rakes the fire under his own pot*, and the English *Every man draws the water to his own mill.* The meaning of the passage is that Charles is looking out for the interests of his Neapolitan subjects by protecting them from the dueling propensities of the Spanish soldiery.

**Page 97.** — 1. **Caraciolo:** The Caracciolo family was one of the most famous in Naples, having won distinction through the participation of its members in letters, law, and public affairs. It would seem, however, that Rivas has invented *el Mayor Caraciolo*, since the only Caracciolo who figures in history toward the middle of the eighteenth century is Domenico (1715–89), the ambassador, statesman and economist.

2. **por llevar cartas:** The person offended sends a *carta* (or *cartel*), with the names of his seconds (*padrinos*), to the offender, requesting the latter to name his seconds, so that the seconds of the two contestants can establish the conditions of the duel.

3. **Yo me siento . . . de mi brazo:** Freely: *today my arm feels entirely well.*

4. **Está como si tal cosa:** See note 1, p. 86.

**Page 99.** — 1. **¡ la ha hecho buena!** *he made a good job of it!* It is ironical. Some such word as *cosa* is understood as the antecedent of *la*.

2. **va:** See note 1, p. 38. The *me* is an ethical dative of disadvantage.

**Page 102.** — 1. **¡ Debió serlo! . . .** *i.e., hermano. Cf.* note 4, p. 7.

**Page 103.** — 1. **¿ como bueno?** *i.e., ¿ como buen soldado ? . . .*

**Page 106.** — 1. **el soberbio templo de Sevilla:** The Cathedral of Seville, constructed in the course of the Fifteenth Century, is one of the largest and most imposing Gothic churches in Europe.

**Page 108.** — 1. **han estado:** *Cf.* note 1, p. 87.

2. **y a rogarle suspendiera:** See note 1, p. 19.

**Page 109.** — 1. **¡ Los alemanes!:** *The Austrians* (they are called *los imperiales* in line 645; for the Austrian attack on Veletri, *cf.* note 1, p. 60.)

**Page 111.** — 1. **El Convento de los Ángeles:** *Cf.* lines 95–8, p. 32, and note 1, p. 50. A description of the monastery is contained in the stage directions of Act II, Scene III (pp. 39–40).

2. **Sea su alma:** Abbreviated euphemism for some such expression as *maldita sea su alma*, or *maldita sea Ud.*, or *condenada sea el alma de Ud.* Freely: *What in the world have you got six children for, confound you?*

**Page 112.** — 1. **¿A que les doy . . . ?** Freely: *Do you want me to strike you? . . .*

**Page 113.** — 1. **a comerlo:** *Cf.* note 2, p. 14.

**Page 114.** — 1 (lines 87–90). **Lo mismo que restregarme siempre . . . si no metía tanta prisa:** *And they also keep flaunting Father Rafael in my face; plagued if he'd give us any more, confounded if he was more civil, the dickens he was more charitable, the deuce he wasn't in as big a hurry (as I)!*

2. **también tiene su piedra en el rollo:** *He, too, has his seat at the pillar; i.e., he, too, is a bit temperamental.*

**Page 115.** — 1. **nos cayó:** A curious use of the pronoun, which seems to represent the fusion of the ethical dative (of disadvantage) with the dative of possession to be construed with the noun *campanario.*

**Page 116.** — 1. **de cuando . . . el demonio:** He may have read to them the drama *El Diablo Predicador*, by Luis de Belmonte Bermúdez, which contains one version of the multiform legend.

**Page 117.** — 1. **¿A que son otra vez los pobres?** *What'll you bet it's not those poor people again?*

2. **padre de campanillas:** A quasi-pun on the double meaning of the expression *de campanillas* (one who answers the door-bell, and one who holds a position of great authority).

3. **¡Otro Padre Rafael!** *Father Rafael again! (another mention of Father Rafael!)*, rather than: *another Father Rafael*, which would be pointless.

**Page 118.** — 1. **Para mí más que haya ciento:** = *a mí me es igual que haya ciento.*

2. **No os oirá cosa ninguna:** *He will not hear anything you say . . .*

**Page 119.** — 1. **franciscano:** Saint Francis of Assisi (1181[2?]–1226) founded three Franciscan Orders: the *Friars Minor* (or so-called *First Order*, founded in 1209); the *Poor Ladies* (the *Second Order*, 1212); the *Brothers and Sisters of Penance* (the *Third Order*, founded in 1221; members of this order are now known as *Tertiaries*, and serve as the connecting link between the cloister and the outside world). The Franciscan Rule requires strict adherence to the usual three vows, — obedience, poverty, and chastity, and stresses personal abnegation, the preaching of simple but effective sermons, and absolute poverty (prospective members must give all their possessions to the poor before receiving admittance into the Order, while the Order itself is not allowed to own property). The Franciscans aim to follow the teachings and the example of Christ and the Apostles, and their appeal is primarily to the poorer classes.

**Page 125.** — 1. **de:** *with.*

**Page 126.** — 1. **cuartel de mulato:** In heraldry, the four quarters or divisions of the shield indicate the ancestry of the knight: two of the quarters represent the genealogy of the husband, while the other two represent that of the wife. In the present instance, the stigma implied by the *cuartel de mulato* has already been defined (lines 386–7) as *the blot on the scutcheon.*

**Page 128.** — 1. **me:** *Cf.* note 1, p. 7, and note 1, p. 15.

2. **han:** Indicative after a verb of fearing. *Cf.* p. 38, note 1.

3. **San Francisco:** See note 1, p. 51, and note 1, p. 119.

4. **Si quien piensa mal, acierta:** Literally: *he who thinks ill (of*

*other people) hits the mark,* — a Spanish proverb, another version of which reads: *piensa mal y acertarás.* Melitón is referring to the suspicions that have arisen in his mind (p. 128, ll. 429–30, and p. 118, ll. 212–3).

**Page 129.** — 1. **el ponerse el sol:** *Cf.* note 7, p. 3.

2. **y todos han de apurarse:** *and we shall run the gamut of them all.*

**Page 131.** — 1. **Virrey:** The story of the ambitious Viceroy has no historical basis. It is either a figment of the author's imagination or a tale he may have heard during his childhood (*cf.* E. Allison Peers, *Ángel de Saavedra, Duque de Rivas — A Critical Study, Revue hispanique,* LVIII, pp. 65 and 82). *La sucesión al trono* (p. 131, l. 506), alludes to the War of the Spanish Succession (1702–11) in which Philip V of Spain (mentioned by name on p. 131, l. 528), aided by his protector, Louis XIV of France, defended his claims to the throne of Spain (left vacant by the death of Charles II in 1700) from the aspirations of Archduke Charles of Austria, his unsuccessful rival. England and Holland joined forces with the House of Austria, in order to maintain a balance of power in Europe by preventing the eventual union of France and Spain. A treaty of peace was finally signed at Utrecht in January, 1712, wherein Philip renounced any claims to the throne of France that he and his descendants might have.

**Page 133.** — 1. **te:** an ethical dative (= *for you*). The meaning of lines 583–5 is at first sight somewhat obscure, but Don Alfonso is alluding (by the *sol hermoso y radiante*) to the good tidings he has just brought to Don Álvaro (ll. 527 ff.), while the expression *de un soplo . . . apagarle* refers to the caustic language (ll. 570–9) with which Don Alfonso destroys the effect of the reported pardon by branding Don Álvaro as a traitor who has forfeited his claims to exoneration.

**Page 137.** — 1. **el *Miserere:*** The *Miserere* is the fiftieth psalm, which is chanted on certain days in Catholic churches (especially during Lent). It is repeated with greater frequency in the monastic orders, and is further sung at interments; during the visits of bishops to their parishes; at the blessing of bells, churches, altars, *etc.;* and in the monasteries whenever there is public disciplining of some offending monk. The words of the *Miserere* have been set to music by numerous musicians as part of a religious service performed during the Lenten period.

# VOCABULARY

## LIST OF ABBREVIATIONS

| | | | |
|---|---|---|---|
| *a.* | adjective | *fig.* | figuratively |
| *adv.* | adverb | *interj.* | interjection |
| *coll.* | colloquial | *Lat.* | Latin |
| *com.* | common gender | *m.* | masculine |
| *conj.* | conjunction | *mil.* | military |
| *contr.* | contraction | *prep.* | preposition |
| *dim.* | diminutive | *pl.* | plural |
| *eccl.* | ecclesiastical | *pron.* | pronoun |
| *f.* | feminine | *s.* | substantive |

NOTE: Gender signs, (*m.*, male; *f.*, female), have generally been omitted.

*a.* with names of males
*b.* with names of females
*c.* with masculine nouns in *–o* or *–nte*
*d.* with feminine nouns in *–a*, *–ión*, *–dad*, *–tud*, *–ez*.

Proper names; the finite forms of verbs; feminines of adjectives, and adjectives used as nouns; adverbs formed regularly with the ending *–mente;* articles, and the more commonly used pronouns, adverbs, conjunctions, etc., with which the student grows familiar during his first term of Spanish; as well as words that have the same form and meaning in the two languages, including proper names, — inasmuch as this is an advanced text, — have likewise been omitted in the Vocabulary.

# VOCABULARY

## A

**abajo**, down; **por —**, down.
**abatido**, dejected, depressed.
**abierto**, clear, unmistakable.
**abismo**, abyss, hell.
**ablandar**, to soften, melt.
**abonar**, to guarantee, indorse, vouch for, answer for.
**aborrecible**, hateful, loathsome.
**aborto**, abortion, monster.
**abrasado**, fiery, torrid.
**abrazar**, to embrace; **—se con**, to embrace.
**abrazo**, embrace.
**abrenuntio**, *see note on p.* 30, *l.* 19.
**abreviar**, to cut short.
**abrigar**, to harbor, cherish.
**abrigo**, shelter, protection.
**abrir (se)**, to open, open up, open wide.
**abusar**, to impose upon, take advantage of.
**acá**, here; this side.
**acabar**, to finish, end, have done; to die; **— de**, to have just; **—se**, to end; **se acabó**, it has ended, it is all over.
**acaloramiento**, ardor, feverish transport.
**acariciar**, to caress.
**acaso**, chance, coincidence; perhaps, maybe; by chance, incidentally; **al —**, perhaps, maybe.
**acceder**, to accede, consent.
**acento**, accent, mode of speaking.
**acercarse**, to draw near, approach.
**acero**, steel; sword.
**acertar**, to hit the mark; to succeed; **para —lo**, in order to come off well; **no lo acierto**, I cannot guess *or* divine.
**aciago**, ill-omened, unhappy.
**aclarar**, to ascertain, make certain.
**acobardarse**, to become terrified.
**acoger**, to welcome, receive; **—se**, to retire, take refuge.
**acogida**, protection, refuge; welcome.
**acomodar**, to arrange.
**acomodo**, place in life, position in the world.
**acontecer**, to happen, befall.
**acordar**, to grant; **—se**, to remember.
**acorralar**, to corral, round up.
**acostado**, reclining.
**acostarse**, to lie down, go to bed.
**acreditarse**, to prove, earn a just claim to.
**actitud**, attitude, posture.
**actual**, present.
**acuchillarse**, to fight with swords.
**acudir**, to hurry, hasten.
**acuerdo**, accord, agreement; **de — con**, in agreement with.
**acurrucarse**, to curl up, as if for a nap.
**adelante**, forward, onward.
**adelantarse**, to move *or* step forward.
**adelfa**, oleander.
**ademán**, *m.*, gesture, look.
**además**, besides; **— de**, besides, in addition to; **— de que**, in addition to the fact that.
**adiós**, goodbye, farewell.
**admirar**, to admire; to astonish, surprise.
**adonde, adónde**, where, whither, to which, to where.
**adorado**, beloved.
**adorar**, to adore, worship.
**adornar**, to adorn, decorate, grace.

**adorno**, ornament, decoration.
**adusto**, gloomy, austere.
**advenedizo**, upstart.
**advertir**, to acquaint, apprize.
**afán**, *m.*, anxiety, solicitude; eagerness; trouble, care.
**afanar**, to strive eagerly; **afanado**, intent upon, bent upon.
**afectuoso**, affectionate.
**aficionado**, enthusiast, devotee, lover of the game.
**afligir**, to grieve, pain, distress.
**aflojar**, to loosen, loosen up with (*coll.*).
**afrenta**, affront, infamy, dishonor.
**afuera**, outside: **¡ —!** clear out! off with you!
**afufarse**, to clear out, to make one's getaway (*coll.*).
**agarrar**, to grasp; to obtain; to bleed (*coll.*).
**agente**, *m.*, agent, factor.
**agitar**, to agitate, excite, upset.
**agradar**, to please.
**agradecer**, to thank (for), be thankful (for), express gratitude (for).
**agradecido**, grateful.
**agravio**, insult, affront, offense, injury.
**agruparse**, to gather together, congregate.
**aguacero**, shower, downpour.
**aguador**, *m.*, water-seller, water-dispenser.
**aguaducho**, stand for selling water.
**aguantar**, to tolerate, put up with.
**aguardar**, to wait (for), await.
**aguardiente**, *m.*, brandy.
**agudo**, sharp.
**agujero**, hole, hiding-place.
**ahí**, there, yonder.
**ahogar**, to choke.
**ahora**, now; **— mismo**, right now, at once, right away; a short time ago, this very moment.
**airado**, angry, wrathful.
**ajeno**, of others, of other people.
**alameda**, walk, promenade (*shaded by poplars or other trees*).
**alarde**, *m.*, display, ostentation; **hacer —**, to boast, display, show off.
**alargar**, to lengthen, prolong; to hand.
**alarido**, shout, cry, scream.
**alazán**, *m.*, sorrel horse.
**alba**, dawn, daybreak.
**albergue**, *m.*, lodging-place; refuge, repair.
**alborar**, to dawn.
**alborotar**, to be disorderly, to make a disturbance.
**alboroto**, disturbance, hubbub, tumult, riot.
**albricias**, reward for good tidings.
**alcaide**, *m.*, jailer.
**alcalde**, *m.*, mayor; justice of the peace.
**alcance**, *m.*, reach, scope.
**alcanzar**, to obtain.
**alcoba**, bedroom.
**aldabilla**, clasp.
**aldea**, village, hamlet.
**alegrarse**, to rejoice, be glad.
**alegre**, light-hearted, gleeful, happy, cheerful, joyful.
**alegría**, joy, happiness.
**alejar**, to remove, separate; **—se**, to leave, depart.
**alemán**, German.
**alerta**, on the watch.
**aleve**, treacherous, perfidious.
**alfeñique**, *m.*, taffy; fragile; weak.
**algazara**, shouting, hullaballoo.
**algo**, something, anything; somewhat.
**alguien**, somebody, some one.
**alguno**, some, any; some one, any one; **—s**, some, a few, several.
**aliento**, breath; vigor of mind, manfulness.
**alimento**, food, nourishment.
**alivio**, alleviation, relief.
**alma**, soul, spirit, mind, heart; **del —**, dear, beloved; **con el —**, with all one's heart.

**alojamiento**, quarters.
**alrededor (de)**, around; **—es**, environs.
**alta**, certificate of discharge from the hospital; **darse de —**, to discharge oneself, to obtain a discharge.
**altanero**, haughty, arrogant; proud.
**alternar**, to associate, mingle.
**Altísimo**, The All-high, Almighty.
**alto**, halt, stop.
**alto**, high, lofty, tall; eminent, prominent; arduous, difficult; aloud; **lo más —**, the highest part *or* point.
**altura**, height, lofty position.
**alumbrar**, to illuminate, light the way.
**alzar**, to raise; **—se**, to get up, arise.
**allá**, there, over there; **— de**, beyond, on the other side of; **— para**, about, around; **el de más —**, the farther one, the one farther away.
**ama**, landlady.
**amagar**, to threaten, menace.
**amancillar**, to stain, tarnish, sully.
**amanecer**, to dawn; *m.*, dawn, daybreak.
**amante**, *m.* and *f.*, lover; sweetheart.
**amar**, to love; **amado**, beloved, dear.
**amargo**, bitter.
**ambiente**, *m.*, air, atmosphere.
**ambos**, both (of them, us, *etc.*).
**amenaza**, threat.
**amigote**, *m.*, crony, chum.
**amistad**, friendship.
**amor**, *m.*, love; *m.* and *f.*, **—es**, love-affair(s), love(s).
**amoroso**, loving.
**amostazar**, to provoke, exasperate (*coll.*).
**amparar**, to protect, shelter; to assist.
**amparo**, protection, refuge.
**anafre**, *m.*, portable stove.
**anciano**, old, aged.
**ancho**, broad, wide.
**andaluz**, Andalusian (*inhabitant of Andalucía, the name of the district which comprizes eight provinces in southern Spain*).
**andar**, to go, come, pass, move along; to be.
**angustia**, affliction, tribulation; anguish, woe.
**anhelante**, eager, breathless.
**anhelar**, to long for, crave, desire.
**ánima**, soul.
**ánimo**, courage, spirit, valor; **¡ — !** courage! cheer up!
**anoche**, last night.
**anochecer**, to grow dark.
**anonadarse**, to be humbled, be overcome.
**ansia**, eagerness.
**ansiar**, to desire.
**ansioso**, anxious, eager.
**ante**, before, in the presence of.
**ante**, *m.*, buckskin, elk-hide.
**antecesor**, *m.*, predecessor.
**anteojo**, spy-glass.
**anterior**, former, previous, preceding.
**antes**, before, heretofore; first, first of all; beforehand; **— que**, rather than, sooner than; **— de**, before, within; **— de todo**, above all.
**antiguo**, old, ancient, time-honored, of long standing; former, earlier; **en lo —**, formerly, in ancient times.
**anublar**, to becloud, tarnish.
**anudarse**, to form a knot.
**anular**, to nullify.
**apacible**, placid, quiet.
**aparecer**, to appear, be seen.
**apartado**, remote, distant.
**apartar**, to stand back.
**aparte**, aside.
**apear**, to make some one change his opinion, to dissuade; **—se**, to dismount.
**apellido**, name, surname.
**apenas**, scarcely, hardly, no sooner, as soon as.

**apestado,** plagued, rotten.
**apetecer,** to crave, desire.
**apiñarse,** to crowd together.
**aplacar,** to appease, placate.
**aplauso,** applause, praise, approbation.
**aplicar,** to apply, hold to.
**aporrear,** to hit, strike; **paño de — moscas,** rag for killing flies.
**aposento,** room.
**apostar,** to wager.
**apoyarse,** to lean.
**apoyo,** protection, aid.
**apresurarse,** to make haste.
**apretar,** to tighten, tighten up; to squeeze, clutch.
**aprobar,** to approve.
**aprovecharse,** to take advantage of, avail oneself of.
**aproximarse,** to approach.
**apurar,** to drain, exhaust, drain to the dregs.
**apuro,** want, affliction.
**aquel,** that; that one, the former; **— que,** he who, the one that.
**árbol,** *m.*, tree.
**arcabucear,** to shoot, execute.
**arder,** to burn, seethe.
**ardiente,** red-hot; ardent, eager, burning, feverish.
**argentino,** silvery.
**arma,** weapon, arms; **sobre las —s,** under arms.
**armar,** to provoke, stir up, start.
**armero,** gun-rack.
**arrabal,** *m.*, quarter, suburb.
**arrancar,** to tear away, tear off, tear out; to carry off; to spirit away.
**arrastrar,** to drag off, drag away, sweep away.
**arrebañadura,** remnants, leaving.
**arreglar,** to arrange, straighten up, put in order.
**arremangado,** with sleeves rolled up.
**arremolinarse,** to crowd together, press together.
**arreos,** *m. pl.*, harness, trappings.
**arrepentido,** repentant.
**arrepentimiento,** repentance, contrition.
**arrepentirse,** to repent, suffer regrets.
**arribar,** to arrive.
**arrimar,** to bring near.
**arriero,** muleteer.
**arrodillarse,** to kneel (down).
**arrogancia,** arrogance; gallantry; stately carriage.
**arrogante,** proud; gallant, high-spirited, dashing.
**arrojar,** to throw, fling.
**arrojo,** intrepidity, fearlessness.
**arrollar,** to rout, defeat, sweep away.
**arroyo,** streamlet, brook.
**arroyuelo,** rill, brook.
**arroz,** *m.*, rice.
**arte,** *m.* and *f.*, art, profession, science.
**arzobispo,** archbishop.
**as,** *m.*, ace.
**asco,** nausea, loathing, disgust.
**ascua,** red-hot coal.
**asegurar,** to assure, guarantee, affirm.
**asesinar,** to assassinate, commit murder.
**asesino,** assassin, murderer; *a.*, murderous, death-dealing.
**así,** so, thus, in this manner; **— como,** something like; **— que,** as soon as.
**asiento,** seat.
**asilo,** asylum, refuge, haven.
**asistente,** magistrate.
**asistir,** to assist; to be present; to attend, go to, participate (in).
**asomar,** to begin to appear; to appear; **—se,** to peep out, look out.
**asombrar,** to astonish; be darkened; **—se,** to marvel.
**asombroso,** marvellous, wondrous.
**asomo,** sign, trace.
**aspereza,** ruggedness, gruffness, harshness; crag.
**áspero,** rugged, rough.
**astro,** heavenly body, star.
**astucia,** cunning, astuteness.
**asunto,** affair, matter, business.

**asustar,** to frighten; **—se,** to become frightened.
**atar,** to tie, tie up.
**aterrar,** to terrify, fill with terror.
**atormentar,** to torture, torment.
**atrancar,** to bar.
**atravesar,** to cross, pass over; to pierce.
**atreverse,** to dare, venture, presume.
**atrevido,** audacious, insolent.
**atribularse,** to suffer tribulation, be in a state of affliction.
**atrocidad,** atrocity, outrage, excess.
**atropellar,** to crush under foot, trample in the dust.
**atroz,** atrocious, cruel.
**atufarse,** to become angry.
**aturullar,** to bewilder, stun.
**audacia,** audacity, boldness.
**aumentar,** to increase, add to; **—se,** to increase, grow more frequent.
**aumento,** increase; **ir en —,** to continue increasing.
**aun, aún,** still, yet, even.
**aunque,** although, even though.
**aurora,** break of day, dawn.
**auxiliar,** to help, aid.
**auxilio,** aid, assistance.
**avanzar,** to advance.
**avecinarse,** to approach, draw near.
**aventajado,** surpassing, remarkable.
**aventurero,** adventurer, soldier of fortune.
**averiguar,** to find out, ascertain; to investigate.
**avío: al —,** make ready, to "work with you" (*coll.*).
**avisar,** to warn, inform, apprize, give notice.
**aviso,** notice, warning, information, advice; message; **dar —,** to apprize, give notice.
**¡ay!** alas! oh! dear me! **¡— de!** alas for! woe to! woe betide! **¡— Dios!** Heaven help me! Merciful Heavens! **¡— triste!** alas! sad that I am!
**ayer,** yesterday.
**ayuda,** aid, help, assistance.
**ayudante,** aid, aide-de-camp.
**ayudar,** to aid, help.
**ayunar,** to fast; to fear, avoid.
**ayuno,** fast.
**azote,** *m.*, scourge, bane.
**azucarillo,** lump of sugar.
**azufre,** *m.*, sulphur.

## B

**babilonia,** disorder, confusion.
**bacallao,** codfish.
**bachiller,** bachelor (*of arts*); chatterbox. (*On page 35, line 179, Tío Trabuco, who hates irrelevant small talk, puns on the two meanings: bachelor and chatterbox.*)
**bailar,** to dance.
**baile,** *m.*, dance, ball.
**bajadita,** *dim. of* **bajada,** slope, descent; **a la —,** not far down the road, down a gentle slope.
**bajar,** to descend, go down, come down; to lower.
**bajo,** low; **claustro —,** lower cloister; *s.*, baseness, lowliness.
**bajo,** under, beneath; **— de,** beneath, underneath.
**bala,** ball, bullet.
**balazo,** gunshot wound.
**balcón,** *m.*, balcony, balcony-window.
**baldar:** to cripple.
**balde: en —,** in vain.
**bálsamo,** balm.
**banco,** bench.
**banda,** bank, border; corps (*of drummers*).
**bandeja,** tray.
**bandido,** bandit.
**banquero,** banker, dealer (*in a card-game*).
**banquete,** *m.*, banquet.
**baraja,** pack of playing cards; **— preparada,** stacked deck.

**barajar,** to shuffle the cards.
**barba,** beard; **pelarse las —s,** to vent one's rage, to burst with anger.
**bárbaro,** barbarian, savage.
**barca,** boat.
**Barcelona,** Barcelona (*capital of Catalonia, in northeastern Spain, the largest port and industrial city in the peninsula; population,* 700,000).
**barco,** ship, boat.
**Barrabás: por vida de —,** in the name of perdition. (*Barrabas: the robber released in place of Jesus at the demand of the multitude. Cf. Matt.* XXVII, 16 ff.)
**barraca,** cabin, hut.
**barrio,** suburb, quarter, district.
**basilisco,** basilisk (*fabled creature whose breath and look were fatal*).
**bastar,** to suffice, be enough; **basta,** enough, that will do.
**bastidor,** *m.*, wing.
**bata,** dressing-gown.
**batalla,** battle.
**batirse,** to fight, engage in a duel.
**bayoneta,** bayonet; **a la —,** bayonet in hand, with fixed bayonet.
**bazofia,** refuse, leavings.
**beber,** to drink.
**beldad,** beauty; beautiful woman.
**bendecir,** to bless.
**bendición,** blessing.
**bendito,** sainted, blessed, in bliss.
**benéfico,** beneficent, kind.
**benemérito,** worthy, well-deserving.
**benigno,** kind, gracious, benevolent.
**berrendo,** tinged with two colors; motley.
**berrido,** bellow, bark, snarl.
**besar,** to kiss.
**beso,** kiss.
**bicho,** creature, animal; bull.
**bien,** well, well then; very; easily; **s**, benefit, welfare; **mi —,** my dear, my treasure; **mi único —,** (*freely*) my lady-love, my truelove; **más —,** rather; **con —,** beneficially, happily, safely; **y —,** well then, tell me.
**bienaventurado,** happy, fortunate; blessed, blissful.
**bigote,** *m.*, mustache.
**bizarramente,** courageously, gallantly.
**bizarro,** brave, courageous, gallant.
**blanco,** white.
**blanquito,** something of a fool; "easy pickings" (*slang*).
**blasonar,** to boast; **— de,** to boast of being, glory in being.
**boca,** mouth; hole.
**boda,** wedding.
**bofetada,** slap.
**bolo,** ignorant dullard, dolt.
**bolsillo,** purse, pocket.
**bondad,** goodness, kindness, righteousness, clemency.
**bondadoso,** kind, generous, good-hearted.
**bonito,** pretty, elegant, dainty, fine.
**bordar,** to embroider; to skim over, glide over (*fig.*).
**borrasca,** storm; danger.
**borrascoso,** stormy, tempestuous.
**borrón,** *m.*, stigma, disgrace.
**bostezar,** to yawn.
**bota,** small leather jug.
**botarate,** *m.*, madcap (*coll.*).
**botín,** *m.*, buskin, half-boot.
**bravo,** wild, savage.
**brazo,** arm; **— de la espada,** sword-arm.
**breve,** short, brief.
**breviario,** breviary.
**brillar,** to shine, gleam, scintillate.
**brillo,** luster, splendor.
**brincar,** to leap.
**brinco,** leap, jump.
**brío,** mettle, courage, gallantry; life.
**brioso,** ardent, dashing.

**brocal,** *m.*, curb-stone.
**broche,** *m.*, brooch, locket.
**broma,** jest, joke; **en** (*or* **por**) **—,** jestingly.
**bronce,** *m.*, bronze.
**brotar,** to flow, flow forth; to spring forth.
**bruja,** witch, hag.
**brújula,** compass.
**buenaventura,** good luck, fortune.
**bueno,** good, fine, excellent, splendid; kind; well, sound, healthy, in good health; very well, all right; **¿ adónde — ?** whither away? where are you going?
**bullicio,** noise, bustle.
**burla,** jest, mockery, fun; **de —s,** in jest, as a joke.
**burlar,** to deceive; **—se de,** to laugh at, make sport of.
**busca,** search, quest.
**buscar,** to seek, look for, hunt for.

## C

**caballerito,** young gentleman.
**caballeriza,** stable.
**caballero,** gentleman, knight, cavalier, man.
**caballo,** horse; mounted figure on Spanish playing cards corresponding to the queen; **a —,** on horseback, mounted; **— de mano,** led-horse.
**cabecera,** head of the bed.
**cabello,** hair.
**caber,** to be contained; **— en lo posible,** to be within the realm of the possible.
**cabeza,** head; life; **de —,** headlong, head first.
**cabo,** extremity, end; **al —,** after all, in the end.
**cada,** each, every; **— cual,** every one; **como — cual,** like every one else; **— uno,** every one, every man.
**cadalso,** gallows.
**cadáver,** *m.*, corpse, body.
**cadena,** chain.
**Cádiz,** Cadiz (*Atlantic seaport and capital of the province of Cádiz, reputed to have been founded by the Phenicians about* 500 B.C.; *pop.* 65,000).
**caer,** to fall, drop; to see the point; **— sobre,** to fall on, strike; **— en,** to surmise, divine; **—se,** to fall (down).
**cafetera,** coffee-pot.
**caja,** box, case.
**calabozo,** dungeon.
**calar,** to penetrate, go through, extend (into).
**calavera,** skull; madcap, rake; *a.*, rakish, rattle-brained.
**caldero,** caldron.
**calidad,** quality, nobility.
**caliente,** warm, hot, violent.
**cáliz,** *m.*, chalice, cup.
**calma,** calm, calmness, tranquillity, composure.
**calor,** *m.*, heat, warmth.
**calzón,** *m.*, trousers, breeches.
**callar(se),** to be silent, keep silence.
**calle,** *f.*, street.
**cama,** bed.
**camarada,** *m.*, comrade, partner (*coll.*).
**camilla,** litter, stretcher.
**caminante,** traveller, wayfarer.
**camino,** way, road, path; procedure, course of action.
**campana,** bell.
**campanario,** belfry.
**campanilla,** small bell; **de —s,** enjoying a position of great authority.
**campaña,** campaign.
**campestre,** rural, rustic, country (*adj.*).
**campo,** country, countryside; field, battle-field, field of honor.
**canalla,** riff-raff, rabble.
**candelero,** candlestick.
**candil,** *m.*, oil-lamp.
**candilón,** *m.*, large open lamp.
**cano,** gray-haired.
**canónigo,** canon (*eccl.*).
**cansancio,** fatigue, weariness.

**cansarse,** to be weary, grow tired.
**Cantabria,** Cantabria (*ancient name for the district in northern Spain which comprizes the modern provinces of Vizcaya and Santander, together with parts of the provinces of Oviedo, Burgos, Palencia and León*).
**cantar,** to sing, chant; **otro —,** "another tune" (story).
**cántaro,** jar, jug.
**cantidad,** quantity, amount.
**cañada,** glen, dale.
**cañonazo,** cannon-shot.
**capa,** cloak, cape.
**capaz,** capable, able, competent.
**capellán,** chaplain.
**capitán,** captain; **— general,** field-marshal.
**capote,** *m.*, cape, rain-coat.
**capucha,** cowl, hood.
**cara,** face.
**cárcel,** *f.*, jail, prison.
**carga,** load, burden.
**cargar,** to load, charge, attack; to carry off; **— con,** to seize, carry off; **—se de estera,** to be disagreeable.
**caridad,** charity, charitableness, kindness, indulgence; **por —,** for mercy's sake, in the name of Heaven.
**cariño,** affection.
**cariñoso,** affectionate.
**caritativo,** charitable.
**carne,** *f.*, flesh; **tomar humana —,** to assume human form.
**carrera,** career, course, journey.
**carta,** letter; playing-card; **— blanca,** carte blanche, full powers, free rein.
**casamiento,** wedding, marriage.
**casar,** to marry, wed; to give in marriage.
**casco,** skull; helmet; **—s,** head; **alegre de —s,** feather-brained, light-headed.
**casi,** almost.
**caso,** case, affair, matter; **en todo —,** at all events, in any case.
**castigo,** punishment, chastisement.
**castillo,** castle.
**casualidad,** accident, coincidence.
**casuco,** gambling-den.
**causa,** cause, motive, occasion; case; sake.
**causar,** to cause, produce, occasion.
**cautivar,** to captivate, charm, delight.
**cavar,** to dig.
**cebada,** barley.
**cebo,** bait, incentive.
**ceder,** to yield, yield the palm.
**cegar,** to grow blind.
**celajes,** *m. pl.*, light, swiftly-moving clouds.
**celda,** cell.
**celebrar,** to hold, conduct.
**cena,** dinner.
**cenar,** to dine.
**ceniza,** ashes.
**centella,** lightning.
**centinela,** *m.*, sentinel, sentry, lookout.
**ceño,** frown, lower.
**cepillo,** charity-box; **— de las ánimas,** charity-box for receiving contributions destined to defray the expenses of masses for the souls in purgatory.
**cerca,** enclosure, hedge.
**cerca,** near, nearby, near at hand; **— de,** near (to), close to.
**cercar,** to surround; to besiege, beset.
**cerrar,** to close, shut, close up.
**cerrojo,** bolt.
**ciciones,** fever.
**ciego,** blind.
**cielo,** sky, heaven(s); felicity, glory; **¡—s!** Merciful Heaven! Heavens! Good Heavens!
**ciento,** one hundred.
**ciertamente,** certainly, surely.
**cierto,** certain, positive, true; **por** (*or* **de**) **—,** certainly, surely, of course!; **lo —,** what

is sure, the truth, to be sure; **estar en lo —**, to be right.
**cilicio,** cilice, haircloth, sackcloth.
**cincha,** girth, cinch.
**ciprés,** *m.*, cypress.
**circundar,** to surround, encircle.
**cirujano,** surgeon.
**ciudad,** *f.*, city.
**clamor,** *m.*, outcry, clamor, shout.
**claraboya,** small window in the upper part of a wall.
**clarito,** quite clearly, clearly enough.
**claro,** clear, light, bright, transparent; unmistakable; unblemished, unsullied; clearly, manifestly.
**claustro,** cloister, gallery.
**clima,** *m.*, clime.
**cobarde,** *m.*, coward, recreant; *a.*, cowardly, pusilanimous.
**cobardía,** cowardice, dastardliness.
**cobrar,** to collect; to recover, regain.
**cocer,** to cook.
**cocina,** kitchen.
**coco,** coconut; bugbear, nightmare.
**cojo,** lame, cripple.
**colcha,** coverlet, quilt.
**colchón,** *m.*, mattress.
**colgar,** to hang, hang up.
**colmar,** to load, heap up, shower.
**colocar,** to place, put, locate, situate; to station, post, draw up.
**coloso,** gigantic.
**columnario,** columnar (*applied to money formerly coined in Spanish America, bearing two columns on the reverse*).
**comarca,** territory, district.
**comenzar,** to commence, begin.
**comer,** to eat, devour, consume.
**cometer,** to commit.
**comida,** meal, dinner, supper.
**comisión,** order(s).
**como,** as, like, in the same fashion as; since; as though, as if; about, approximately, something like; **— que,** so that; seeing that, since, inasmuch as; as if; **— no,** unless; **— si,** as if, as though.
**cómo,** how, how so, what about it, what, what do you (I) mean (by); **¿ — no?** it's not?
**compadecer,** to pity, sympathize with.
**compadre,** crony, friend, "brother" (*coll.*).
**compañero,** companion, comrade.
**compañía,** company, society, fellowship.
**complacerse,** to take delight.
**completamente,** completely, entirely, perfectly.
**completísimo,** absolutely complete.
**cómplice,** *m.*, or *f.*, accomplice.
**comportarse,** to behave, act.
**comprender,** to understand, realize.
**comprometer,** to bind, oblige.
**compromiso,** jeopardy, difficulty, embarrassment.
**comunidad,** community, congregation.
**conceder,** to grant, give, allow.
**conciencia,** conscience.
**concierto: de —,** by agreement, by mutual consent.
**concluir,** to end, terminate.
**concurso,** crowd, assemblage.
**condenación,** punishment.
**condenar,** to condemn, disapprove.
**condición,** condition, rank, social status; character, quality; origin, extraction.
**conducir,** to guide, show the way, bring.
**confiar,** to trust, confide, rely.
**conflicto,** conflict; agony, distress.
**confundir,** to confound, confuse, abash, humiliate.
**confuso,** confused, bewildered; unintelligible.
**conmoción,** commotion, excitement, disturbance.
**conmover,** to disturb, affect.

**conocer,** to know, recognize, acknowledge; to observe, surmise.
**conocido,** well-known.
**conque,** so, so that, so then.
**conseguir,** to obtain, attain, gain, secure; to succeed (in); **—lo,** to gain one's end, succeed.
**consejo,** council; council or high court composed of magistrates, and possessing both executive and judicial authority within the territory of its jurisdiction.
**conservar,** to preserve, keep, take care of.
**consignar,** to record.
**consolador,** consoling, comforting.
**consolar,** to console, comfort.
**constante,** ceaseless, perpetual, constant.
**constar,** to be clear, be evident.
**consuelo,** consolation, comfort.
**contar,** to tell, relate, describe; to count; to possess; **— con,** to rely on, count on.
**contener,** to contain; to restrain, repress.
**contento,** contented, pleased, satisfied.
**contienda,** dispute, fight.
**continuo,** continual, constant; **de —,** constantly.
**contrario,** contrary, adverse, evil; *s.*, opponent, adversary; **al —,** on the contrary.
**conturbar,** to disturb, perturb, trouble.
**conveniente,** convenient, suitable, fitting, agreeable.
**convenir,** to be fitting, be advantageous, suit, be to one's purpose, behoove.
**convento,** convent, monastery.
**convertir,** to convert, change, transform.
**convidar,** to invite.
**convocar,** to summon, call, call together.
**convulso,** convulsed.
**copa,** tree-top.
**copar,** to bet a sum equal to all the money in the bank.
**copete,** *m.*, toupee, tuft; **tener (mucho) —,** to be haughty, be presumptuous.
**copla,** couplet, stanza; song.
**corazón,** *m.*, heart; spirit, courage.
**Córdoba,** Cordoba (*also written* Cordova; *capital of the province of the same name; former capital of the Mohammedan califate of Córdoba, and famous for its mosque; pop.*, 67,000).
**cordón,** *m.*, cord.
**coro,** choir.
**corona,** crown, reward.
**coronar,** to crown.
**coronel,** colonel.
**coronela,** colonel's wife.
**corral,** *m.*, enclosure, court-yard.
**corralera,** Andalusian song and dance ordinarily executed in the **corrales** of southern Spain.
**correr,** to run, rush, flow; to hasten, hurry; to travel over, scour; to meet with, experience.
**corresponder,** to correspond, belong to; to harmonize, agree, fit in with; **— a su amor,** to return *or* reciprocate one's love.
**corrida,** bull-fight.
**corrido,** abashed, ashamed.
**corroer,** to corrode.
**corte,** *f.*, court, capital.
**cortés,** courteous, polite.
**cortesanía,** courteousness, courtesy.
**cortijo,** grange, farm.
**cortina,** curtain, portiere.
**corto,** short, low; narrow; short-lived, of brief duration.
**cosa,** thing, matter, affair; **una — así,** something of the sort; **alguna — así,** something (*or* somewhat) of this nature; **otra —,** anything else; another matter, another story.
**cosquillas,** tickling; **buscar las —,** to provoke.

**crecer,** to grow, grow up; to redouble.
**creer,** to believe, think.
**criada,** female servant, maid.
**criado,** male servant; — **mayor,** head servant.
**criatura,** creature, child, being, person.
**cribar,** to sift, screen.
**cribo,** sieve, screen.
**crónica,** chronicle.
**cruel,** cruel, intense, excruciating.
**crujir,** to clash.
**cruz,** *f.*, cross.
**cruzar,** to cross, pass across, walk about.
**cuadrar,** to please, suit.
**cual,** as, like.
**cuál,** how, what, which, which one, what one.
**cualquiera,** any, any what(so)-ever; **uno . . . —,** any . . . what(so)ever.
**cuán,** how.
**cuando,** when; **de — en —,** from time to time.
**cuándo,** when.
**cuanto,** as much as, all that, everything that; **—s,** as many as, however many, all the, every, all the . . . that, all that (*or* who); **en —,** as soon as, the moment.
**cuánto,** what, what great, how much, to how great an extent; **—s,** how many; **¿— había de aquí?** how far was it from here?
**cuarentena,** quarantine; time spent in a hospital.
**cuartel,** quarter of a shield; barracks; — **general,** general headquarters.
**cuarto,** fourth; room, quarters; farthing (*former copper coin worth about one-half cent*).
**cubierta,** envelope.
**cubrir,** to cover, envelop, clothe.
**cucharadita,** teaspoonful.
**cucharón,** *m.*, soup-ladle, kitchen-ladle.
**cuchilla,** sword.
**cuello,** neck; head (*fig.*).
**cuenta,** account; **por mi —,** at my expense.
**cuerda,** rope, cord.
**cuerpo,** body; detachment; **en —,** without a cloak *or* wrap; in a body, *en masse;* — **de guardia,** guard-room, guard-house.
**cueva,** cave; — **de ladrones,** nest *or* den of thieves.
**cuidado,** care, solicitude, concern; trust.
**cuidar,** to attend to, look after; **—se,** to pay attention, heed.
**culpa,** fault, sin.
**culpable,** culpable, guilty, to blame.
**culpado,** guilty, to blame; *s.*, culprit.
**cumplir,** to execute, accomplish, carry out, fulfill, discharge; complete; obey; **—se,** to expire, come to an end.
**cuna,** cradle.
**cundir,** to spread, propagate, grow, increase.
**cuñado,** brother-in-law.
**cura,** cure, recovery.
**curar,** to cure, heal; **—se,** to recover.
**cursar,** to frequent, attend.
**custodiar,** to guard, take care of.
**cuyo,** whose.

## CH

**chamusquina: oler a —,** to feel trouble brewing (*coll.; lit.*, to smell of scorching).
**chancear(se),** to jest.
**chapurrar,** to speak brokenly.
**charla,** idle talk, gossip.
**charlar,** to gossip, prattle, prate.
**charlatán,** *m.*, idle talker, humbug.
**chimenea,** fire-place.
**chinesco,** Chinese.
**chiquillo,** small child.
**¡ chitón!** hush! not a word! not a word said!
**chupa,** waistcoat.

## D

**daca,** *see note* 1, *p.* 114.
**dama,** lady.
**damasco,** damask.
**daño,** harm, hurt, loss.
**dar,** to give, transmit, deliver, consign; to supply, furnish, provide; to allow, permit; to strike, hit; to mete out; to let fly, emit (*coll.*); to face; — **fin,** to put an end (to), to end; — **un paso,** to take a step; — **muerte,** to kill, slay, bring death upon; — **de comer,** to feed.
**deber,** to owe, be obliged to; should, ought.
**débil,** weak; *s.*, weakling.
**debilidad,** debility, weakness.
**decir,** to say, tell, proclaim; to call; to reveal; **digo,** I mean, that is to say; **como si dijéramos,** so to speak, as it were; **diz,** *contr. of* **dícese.**
**decisión,** decision, determination.
**declarar,** to declare, reveal, make known, say; **—se,** to start, begin.
**decoración,** stage-set, set of stage scenery.
**decreto,** decree.
**dechado,** model.
**dedo,** finger.
**definidor,** *m.*, member of the governing committee of a religious order.
**dejar,** to leave, let, allow; to forsake, abandon, give up; to put down; — **de,** to fail to.
**delante,** before, in front; — **de,** before, in front of, in the presence of.
**delicado,** delicate, discriminating.
**delirante,** delirious, raving.
**delirio,** passion, adoration; frenzied rapture, deliriousness, aberration; **en —,** delirious.
**demás,** the rest, the other(s).
**demencia,** dementia, insanity.
**demonio,** demon, devil, evil-spirit.
**demostrar,** to show, represent.
**demudarse,** to change color *or* countenance suddenly.
**dentro,** within, on the inside, indoors; — **de,** within, on the inside of; **por —,** on the inside.
**denuedo,** fearlessness, intrepidity.
**deponer,** to put aside, discard.
**derecha,** right hand, right side; **a la —,** to (*or* on) the right.
**derecho,** right.
**derramar,** to shed, spill; to cast.
**derredor: en —,** round about, around, on all sides.
**derribar,** to demolish.
**derrumbadero,** precipice, cliff.
**desacierto,** infelicity.
**desafío,** challenge, duel; altercation, quarrel.
**desalojar,** to dislodge.
**desalumbrado,** dazzled, dazed.
**desaparecer,** to disappear.
**desarmar,** to disarm.
**desarrapado,** ragamuffin.
**desasirse,** to disengage oneself; to free oneself.
**desastrado,** miserable, unfortunate, luckless.
**desbancar,** to break; to bankrupt.
**descabellado,** preposterous.
**descalzar,** to remove, take off.
**descansar,** to rest, rest easy.
**descanso,** rest; at rest (*mil.*).
**descargado,** *see p.* 63, *n.* 3.
**descargar,** to disburden, relieve, free.
**desconcierto,** disorder, confusion.
**desconocido,** unknown, obscure, nameless.
**desconsuelo,** disconsolateness, despair, affliction.
**descontentar,** to discontent, displease.
**descorrer,** to draw, slip back.
**descubierta: a la —,** in the open.
**descubrir,** to discover, uncover, expose to view; to find out, ascertain.
**desde,** since, ever since, from; — **que,** since, ever since, as soon as.

**desdicha,** misfortune.
**desdichado,** unlucky, wretched, miserable; **¡— de mí!** wretched that I am! ah, wretched me!
**desear,** to desire, wish.
**desembarazado,** free, unencumbered.
**desembarazar,** to clear.
**desembozarse,** to unmuffle *or* uncover the face.
**desemejar,** to change, transform.
**desempeñar,** to act, play; to discharge, fulfill.
**desengaño,** disillusion, disenchantment.
**desenlace,** *m.*, fulfilment, consummation.
**desenvainar,** to unsheathe.
**desertor,** *m.*, deserter, fugitive.
**desesperación,** despair.
**desesperado,** desperate, in despair.
**desgarrón,** *m.*, large rent, large tear.
**desgracia,** misfortune, mishap, calamity, catastrophe.
**desgraciado,** unhappy, miserable, unfortunate; **— del que,** woe to him who.
**deshacer,** to undo, destroy.
**deshonor,** *m.*, dishonor, disgrace, insult.
**deshonra,** disgrace, dishonor.
**deshonrar,** to dishonor, disgrace.
**desierto,** desert, wilderness; *a.*, deserted, solitary.
**desmayarse,** to faint, swoon.
**desnudar,** to bare, unsheathe.
**desnudo,** bare, bared, unsheathed.
**desocupado,** unoccupied, empty.
**desorden,** *m.*, disorder, confusion, turmoil.
**despabilar,** to despatch, kill (*coll.*).
**despacio,** slowly.
**despachar,** to make haste, hurry.
**despechar,** to enrage; **—se,** to fret, despair.
**despecho,** dejection, despair.
**despedazar,** to tear to pieces, destroy; to torment.
**despeñadero,** crag, precipice.
**despeñarse,** to throw oneself headlong.
**despertar(se),** to awaken, awake.
**despintar,** to disguise, change beyond recognition, make unrecognizable.
**desplomarse,** to plunge, fall.
**desplumar,** to despoil, strip.
**despreciar,** to scorn; to be slighting *or* rude.
**desprecio,** contempt.
**desprender,** to let loose, loose, release, free, liberate.
**después,** after; afterwards, later; **— de (que),** after.
**desquitar,** to make up for.
**destino,** destiny, fate, lot.
**destreza,** dexterity, skill.
**destrozar,** to destroy, break, break into pieces.
**desvanecer,** to destroy, undo.
**desvarío,** madness, extravagant outburst.
**desvelo,** wakeful moment; anxiety, solicitude.
**desventurado,** wretched, unhappy, miserable; **¡— de mí!** (*also* **¡ ay yo — !**, wretched that I am!)
**detener,** to detain, stop; **—se,** to stop, linger, pause.
**deteriorar,** to deteriorate.
**detrás (de),** behind, after.
**día,** *m.*, day; **de — y de noche,** day and night; **de —,** (in the) daytime; **a los ocho —s,** a week later, by the end of a week's time.
**diablo,** devil; **¡—s!** the devil! the deuce!
**diamante,** diamond.
**dicha,** good fortune, happiness; moment of happiness; **por —,** by chance.
**dichoso,** happy.
**diente,** *m.*, tooth; **entre —s,** under one's breath.
**diestra,** right hand; **a mano —,** with cunning hand, by cheating.
**diestro,** right.

**dificultad,** difficulty, obstacle, objection.
**difundir,** to diffuse.
**difunto,** dead.
**dignidad,** dignity, grave and noble bearing, composure; high office *or* position.
**digno,** deserving, worthy.
**dilatado,** numerous, extensive.
**dilatar,** to put off, postpone.
**diligente,** diligent, painstaking, mindful.
**diluvio,** deluge, rain.
**dinero,** money.
**Dios,** God; idol; **¡— mío** (*or* **santo**)! Heavens! Good Heavens! Merciful Heaven! **¡por —!** in the name of Heaven! for Heaven's sake! **¡oh —!** God be praised! Great Heavens! Heaven help me!
**dirigirse,** to proceed, move forward.
**disciplina,** discipline, punishment; *pl.*, scourge.
**disculpa,** exoneration, condonation.
**disculpar,** to exonerate, justify, excuse.
**disfrutar,** to enjoy, be blessed with.
**disimular,** to dissimulate, make pretence.
**disimulo,** dissimulation, false pretence.
**disminuirse,** to diminish, lessen, shrink.
**disparar,** to fire, shoot; **—se,** to go off.
**disparate,** *m.*, nonsense, foolishness; piece of foolishness.
**distinguir,** to make out, perceive.
**distinto,** different.
**distraer,** to distract, amuse.
**disturbio,** disturbance, outbreak.
**diverso,** diverse, different; sundry, varying.
**divertido,** entertaining, amusing.
**diz,** *see* **decir.**
**docto,** learned.
**doler,** to hurt, pain, ache.
**dolor,** *m.*, grief, sorrow, anguish.
**dominio,** dominion, power, authority.
**donde,** where, which, in which; **por —,** through which; **por — quiera,** everywhere, on all sides.
**dónde,** where; **por —,** where, in what direction.
**dormir,** to sleep.
**dotar,** to endow.
**duda,** doubt.
**dudar,** to doubt; to hesitate.
**duelo,** duel, dueling.
**dueño,** owner; mistress, sweetheart.
**dulce,** sweet, dulcet, pleasant, agreeable, gentle.
**durante,** during.
**durar,** to endure, continue.
**duro,** hard, rough, tough; cruel, harsh, severe; **— con,** hard on, cruel to; **ser — de estómago,** to be very brave, have great resistance; **a él y duro,** let no quarter be given him, treat him with a heavy hand.
**duro,** dollar (*Spanish silver coin worth five pesetas*).

## E

**¡ea!** come! here! up!
**echar,** to throw, throw down; to set, slip; to cast out, eject; to give; to pronounce, utter; to tender, make; to put, put on, throw on; **— a rodar,** to send rolling, to upset; **echado adelante,** proud, arrogant.
**edad,** age.
**educar,** to raise, rear.
**efectivamente,** really.
**efecto,** effect; realization, fulfilment.
**eh,** eh, well, well then.
**ejemplo,** example, good example.
**ejercicio,** exercise, training, military drill; ministry, function, task.
**ejército,** army.
**el,** the, the one; **— de,** that of, the one of (*or* from), the one

to, he of; — **que**, he who, the one that (*or* which), the man who; who, which; the fact that; — **cual**, which.
**elegir**, to choose, select.
**elogiar**, to eulogize, laud, extol.
**embarcarse**, to embark.
**emboque: no hay —**, no trick will work, (*coll.*).
**embozado**, muffled up.
**embrollo**, trickery, deception; involved story.
**empeñar**, to pledge, engage, involve; **—se**, to begin, get under way; to insist; to persist, keep on.
**empeño**, determination, insistency.
**emperador**, emperor.
**emperadora**, empress.
**empezar**, to begin, commence.
**emplear**, to employ, use.
**empresa**, undertaking.
**empuñar**, to grasp, seize.
**enamorarse**, to fall in love, become enamored.
**enarbolar**, to raise.
**encajar**, to close tightly.
**encanto**, enchantment; — **mío**, my bewitching angel.
**encaprichadillo**, somewhat obstinate *or* capricious.
**encargar**, to charge, enjoin.
**encargo**, business, function.
**encelarse**, to become jealous.
**encerrar**, to shut up, shut in, confine; **—se**, to live in seclusion.
**encima (de)**, on.
**encinar**, *m.*, holm-oak grove.
**encomienda**, insignia of knight commander; cross worn by members of military orders.
**encontrar**, to find; to meet, come upon; **—se**, to feel, be, happen to be, find oneself; **—(se) con**, to meet, come across, find.
**encubrir**, to conceal, cloak.
**encuentro**, encounter; **mal —**, mishap, accident.
**endulzar**, to sweeten.
**enemigo**, enemy.
**energúmeno**, demoniac; **como un —**, like one possessed.
**enfadar**, to incense, anger.
**enfermero**, nurse.
**enfermo**, sick, ill; sick person.
**enfriarse**, to grow cold, cool off.
**engalanar**, to adorn, bedeck.
**engañador**, deceiving, deceptive.
**engañar**, to deceive, mislead; **—se**, to be mistaken, deceive oneself.
**engaño**, deceit, falsehood, duplicity.
**engañoso**, deceitful, false.
**engendrar**, to engender, beget.
**enhorabuena: venir —**, to be welcome.
**enjaezar**, to caparison, deck out.
**enjuagar**, to rinse.
**enlazar**, to unite, bind together.
**enlutar**, to darken.
**enmendar**, to make amends for.
**enojarse**, to be angry, become angry.
**enredar**, to try one's hand at; **—se**, to become entangled.
**enseñar**, to show, teach.
**ente**, *m.*, being, fellow, chap (*coll.*).
**entender**, to understand; — **en**, to be in charge of, to supervise.
**enteramente**, entirely, completely.
**enternecer**, to move to pity, touch.
**entonar**, to sing in tune, sing (*properly, by humming*).
**entonces**, then, at that time; in that case, in such an event.
**entornar**, to half close.
**entrada**, entrance.
**entrar(se)**, to enter, go in, come in; to bring in.
**entregar**, to deliver, surrender.
**envainar**, to sheathe.
**envejecer**, to grow old.
**enviado**, envoy.
**enviar**, to send.
**envidioso**, envious.
**envolver**, to envelop, wrap up.
**epiceno**, epicene, common.

**equivocarse,** to be mistaken, make a mistake.
**ermita,** hermitage.
**escabel,** *m.*, foot-stool.
**escalera,** stairs, stair-case.
**escapar(se),** to escape, flee, run away.
**escape,** escape; **a —,** at top speed.
**escapulario,** scapulary.
**escaso,** scanty, meager.
**escena,** scene, stage.
**esconder,** to hide, conceal.
**escribano,** notary, scrivener.
**escribir,** to write.
**escuchar,** to listen, listen to, hear.
**escudar,** to shield, protect.
**escudo,** shield, escutcheon, coat of arms; **— de armas,** escutcheon, coat of arms.
**escuela,** school.
**esfera,** sphere; heavenly abode, heaven.
**esforzarse,** to strive, endeavor.
**esfuerzo,** strength, energy; effort, endeavor; courage, spirit; **hacer —s,** to struggle.
**esmerado,** painstaking, careful.
**esmero,** careful attention, heed.
**espacio,** space; realm, sphere.
**espada,** sword, blade.
**espadachín,** *m.*, dexterous swordsman; bully.
**espadín,** *m.*, small sword, rapier.
**espalda,** back; **por la —,** from behind.
**espantoso,** fearful, horrible.
**esparcir,** to spread abroad, to circulate; **esparcidos los cabellos,** with dishevelled hair.
**especial,** special, choice.
**especie,** *f.*, sort, kind.
**espectro,** spectre, ghost.
**esperanza,** hope.
**esperar,** to wait, wait for, await, be in store for, hope (for).
**espina,** doubt, suspicion; **dar malísima —,** to arouse one's suspicions very much.
**espíritu,** *m.*, spirit, demon.
**espléndido,** splendid, magnificent; resplendent.
**esposa,** wife, consort; **— de Cristo,** nun.
**esposo,** husband.
**espuela,** spur.
**esquila,** small bell.
**esquina,** corner.
**estado,** status, situation, position.
**estampa,** print.
**estancia,** room.
**estandarte,** *m.*, standard, banner.
**estante,** *m.*, shelf, stand; book-case.
**estar,** to be; to be in; **— de,** to act as, serve as; **— de servicio,** to be on duty, be detailed; **— de guardia,** to be on guard, be on guard-duty; **— de más,** to be superfluous, be unnecessary; **— para,** to be ready for, be about to, be on the point of; **está bien,** very well, all right; **—se,** to stay, remain; to be.
**este,** this; **éste,** this one, this last, this man, this; he, the latter.
**estera,** mat, matting.
**estilarse,** to be in vogue, be in fashion.
**estimar,** to esteem, value, prize.
**estirpe,** *f.*, race, lineage, extraction.
**esto,** this, all this; **en — de,** with regard to, when it is a question of.
**estocada,** sword-thrust.
**estómago,** stomach.
**estrechar,** to confirm, seal.
**estrecho,** close, intimate.
**estrella,** star.
**estrellado,** starry.
**estrenar,** to inaugurate, break in; to produce (*for the first time*).
**estrépito,** loud noise, crash.
**estudiante,** student.
**estudio,** study.
**eterno,** eternal, everlasting, imperishable; unending, interminable; **el Eterno,** the Eternal (One), God; **¡ Dios — !** Heaven help me!

**Evangelio,** Gospel; **decir los —s,** to repeat a passage from one of the Gospels in the presence of a sick child as a prayer for his recovery.
**evitar,** to avoid.
**exacto,** loyal; accomplished.
**exánime,** lifeless, half-dead.
**excelso,** exalted, eminent, lofty.
**excomulgar,** to excommunicate.
**excomunión,** excommunication.
**excusar,** to avoid, shun; to prevent; to escape.
**exequias,** *f. pl.*, exequies, funeral rites.
**exigir,** to require, demand.
**existir,** to exist, be, be preserved, be alive, live.
**éxito,** success.
**expiar,** to expiate, atone for.
**explicar,** to explain.
**explicación,** explanation.
**exponerse,** to run the risk.
**expresión,** expression, expressiveness.
**expresivo,** expressive; kind, considerate.
**extender,** to extend, stretch out, lengthen.
**exterminador,** exterminating.
**exterminio,** extermination, destruction.
**extranjero,** foreign.
**extrañar,** to wonder at, be surprised (at); to cause surprise; to surprise.
**extraño,** foreign; strange, surprising.
**Extremadura,** Extremadura (*former Spanish province bounded on the west by Portugal, on the south by Andalucía, on the east by Castilla la Nueva, and on the north by León. It comprises the modern provinces of Badajoz and Cáceres*).
**extremo,** extreme, very great, urgent; *s.*, quality; extremity; throes; *s. pl.*, solicitude; **en —,** extremely; **hacer —s de,** to give vent to.

## F

**fachada,** façade, front.
**falaz,** deceitful, fallacious.
**faldero,** *see* **perrillo.**
**falta,** lack, want.
**faltar,** to lack, be lacking, be absent, be missing; to fail, be unfaithful, be remiss; **— a la disciplina,** to mutiny.
**falto,** lacking, wanting.
**fallar,** to pronounce judgment.
**fallo,** decision, decree.
**fanfarrón,** *m.*, blusterer, swaggerer.
**fanfarronada,** fanfaronade, boast.
**fantasma,** phantom, apparition.
**farol,** *m.*, lantern, light.
**fascinar,** to fascinate, hold spellbound.
**fastidiar,** to bother, annoy, bore.
**fatigar,** to fatigue, tire.
**favor,** *m.*, favor, favor at court, protection; aid, good turn, kind offices; **a** (*or* **en**) **— de,** in favor of.
**favorecedor,** *m.*, well-wisher.
**fe,** *f.*, faith, word (of honor); **a —,** on my word, I'll warrant you.
**fecundidad,** prolificness.
**feliz,** happy, fortunate, felicitous.
**fementido,** false, unfaithful.
**feroz,** ferocious, ruthless, cruel, terrible.
**festejo,** festivity, entertainment.
**fiar,** to certify to, avouch.
**fidelidad,** fidelity, loyalty, devotion.
**fiel,** faithful, loyal.
**fiera,** wild beast, beast, brute.
**fiero,** fierce, wild, cruel, terrible.
**figón,** *m.*, eating-house.
**figura,** face-card, court-card.
**figurarse,** to fancy, imagine.
**fijar,** to settle, determine; to post.
**fijo,** fixed, firm, unshaken.
**fila,** file, rank.
**fin,** *m.*, end, ending, termination; **en —,** in short, after all; **por —,** finally, at last.

**finca,** real estate, piece of property.
**fingido,** feigned, false.
**fino,** shrewd, clever.
**firme,** firm, steady, resolute, unyielding.
**flámula,** streamer, pennant.
**Flandes,** Flanders (*former Spanish possession extending over parts of modern Belgium, Holland, and the adjacent French department of Le Nord*).
**flaqueza,** feebleness, weakness.
**flor,** *f.*, flower.
**florido,** flowery; choice, select.
**follaje,** *m.*, foliage, leafage; fretwork of leaves.
**fondo,** background.
**forastero,** out-of-town; *s.*, stranger, outsider, visitor.
**forma,** form; way, manner, means.
**formación,** battle array, battle formation.
**formal,** formal; serious, correct.
**fortaleza,** fortitude, strength.
**fortuna,** fortune, fate, lot.
**forzoso,** necessary.
**fraile,** friar, monk.
**francamente,** frankly.
**franco,** frank; liberal, generous.
**frasco,** flask.
**fray,** friar (*shortened form of* **fraile,** *used before the names of members of certain religious orders*).
**frente,** *m.* and *f.*, front; forehead, brow; **al** —, facing the front.
**fresca,** cool air, fresh air.
**fresco,** fresh, cool; *s.*, coolness, refreshing air; **estar** (*or* **quedar**) —, to be in a pretty pass, be in a fine pickle (*coll.*).
**frío,** cold.
**fruto,** fruit; profit, avail.
**fuego,** fire, fireside, hearth; gunfire, firing-line (*fig.*).
**fuente,** *f.*, dish, platter; spring, fountain.
**fuera,** outside, outdoors; — **de,** outside of, absent from; — **de sí,** out of one's head, beside oneself; ¡ — ! clear out!
**fuerte,** strong, vigorous, manly, healthy; loud.
**fuertemente,** violently, vigorously.
**fuerza,** strength, energy, force, power; valor; — **es,** it is necessary.
**fuga,** flight.
**fugitivo,** fugitive, fleeting, transitory.
**fúlgido,** refulgent, resplendent.
**fundar,** to base, make to depend.
**funesto,** fatal, lamentable, regrettable.
**furia,** fury, rage; fit of madness; ardor, vehemence.
**furibundo,** furious, enraged, irate.
**furor,** *m.*, fury, furiousness, anger, violence.
**fusilería,** musketry.

## G

**gabán,** *m.*, overcoat; — **de mangas,** overcoat.
**gacho,** turned down, slouching.
**gala,** choicest part of a thing; ornament, gem, pride.
**galán,** gallant, gentlemanly; spruce; *s.*, *m.*, lover, wooer.
**galardón,** *m.*, reward, recompense.
**galopo,** rascal, scoundrel.
**gallardete,** *m.*, pennant, streamer.
**gallardo,** elegant, genteel, gallant; high-spirited, lively.
**gallina,** hen.
**gallo,** rooster, cock.
**ganado,** live-stock, cattle.
**ganar,** to gain, win, obtain; to surpass.
**ganga,** opportunity (*coll.*).
**garganta,** throat.
**garguero,** throat, gullet.
**gastar,** to spend, waste; to use; to engage in.
**gatera,** opening (*lit.*, cat's hole).
**gazapón,** *m.*, gambling-den.

**gazpacho,** Andalusian dish containing small pieces of bread, olive-oil, vinegar, salt, garlic and onion.
**Gelves,** Gelves (*town in the province of Sevilla, about four miles to the south of the city of Sevilla; pop.*, 1,400).
**generala,** call to arms.
**género,** gender.
**generoso,** generous, liberal.
**genio,** disposition, temper.
**gente,** *f.*, people, folk, crowd.
**gentileza,** gentility, courtesy; elegance.
**gesto,** face, look, gesture.
**gitano,** gypsy.
**gloria,** glory, heavenly bliss; fame, renown.
**gobernador,** president, chairman.
**gobernar,** to govern, manage, be at the head of.
**gobierno,** government; **para mi —,** for my guidance.
**golpe,** *m.*, blow, knock; **de un —,** at the same time, simultaneously; **dar el —,** to commit a misdeed; to attain one's end.
**golpear,** to pound, hammer on, knock on.
**gordo,** fat, stout.
**gorro,** cap.
**gota,** drop.
**gozar,** to enjoy, possess.
**gozo,** pleasure, satisfaction.
**gracia,** grace, mercy; favor, benefaction, boon, concession; **la — de Dios,** something exquisite; **vuestra —,** your grace, your worship, you; **dar —s,** to thank.
**grada,** step.
**graduar,** to graduate.
**granadero,** grenadier.
**grande,** big, large, great; *s.*, grandee (*noble permitted to remain covered in the King's presence*).
**grave,** grave; heavy.
**gravedad,** seriousness, serious expression.
**gresca,** quarrel, brawl.
**gritar,** to shout.
**grosero,** coarse, rough, rude.
**gruta,** grotto, cave.
**Guadalquivir,** Guadalquivir (*the most important navigable river in Spain, flowing through Córdoba and Sevilla in a general southwest direction to the Atlantic Ocean*).
**guadaña,** scythe.
**guantada,** cuff, slap.
**guarda,** *m.*, guard, sentinel, lookout.
**guardar,** to guard, shield, protect; to maintain, keep; to hold in store; to respect, observe.
**guardia,** guard; **—s españolas,** Spanish Guards.
**guardián,** superior of a convent of the Franciscan Order.
**guerra,** war.
**guerrero,** warrior, soldier.
**guerrilla,** band of skirmishers.
**guiñapo,** rag; dirty person.
**guiropa,** food, stew.
**guisar,** to cook.
**guitarra,** guitar.
**gusano,** worm.
**gustar,** to please, like.
**gusto,** taste; pleasure; **dar —,** to please, humor.

### H

**haber,** to have; to be; **— de,** to be about to, have to, be to; must; **— que,** one must; to be necessary; **no hay que,** there is no need of.
**habilidad,** cleverness, ability.
**habitante,** inhabitant, citizen.
**habitar,** to live (in), dwell (in).
**hacer,** to make, do, act; to perform (**milagros**); to acquire (**riquezas**); to see to it; to provide; to prepare, organize, form; to cause, render; **— calor,** to be warm; **— mal,** to do wrong, act wrongly; **— bien,** to do right, act rightly; **— la guerra,** to wage war;

—**se,** to make oneself, become; **hace pocos días,** a (very) few days ago; **hace más de una hora,** for more than an hour; **ha poco,** for a short time, since very recently; **dos meses ha que,** two months ago, it has been two months since; **hecho,** turned into, converted into.
**hacia,** toward; — **allá,** in that direction, toward the other side; — **acá,** in this direction, toward this side.
**hacienda,** farm, ranch, estate.
**hacha,** torch, large taper.
**hachón,** *m.*, — **de viento,** large torch made of wicking or rope-yarn, and coated with a mixture of pitch, rosin and wax.
**hallar,** to find; —**se,** to find oneself, be.
**hambre,** *f.* hunger; **tener** —, to be hungry.
**hartarse,** to get one's fill.
**harto,** enough, sufficient(ly).
**hasta,** till, until, up to, to; even; — **aquí,** up to this point; — **que,** until.
**hazaña,** deed, exploit, prowess.
**he,** behold; — **aquí,** here is.
**hechicera,** enchantress.
**hecho,** *see* **hacer.**
**helado,** cold, icy.
**helar,** to freeze, turn to ice; to curdle (**sangre**).
**hembra,** female.
**heredera,** descendant.
**heredero,** heir, successor.
**herida,** wound.
**herir,** to wound, strike; — **de muerte,** to wound fatally.
**hermafrodita,** *com.*, hermaphrodite.
**hermana,** sister.
**hermano,** brother; — **lego,** lay-brother, lay-friar.
**hermoso,** beautiful, beauteous, lovely, fine.
**herradura,** horse-shoe.
**hez,** *f.*, dregs, scum.
**hidalgo,** noble, nobleman.
**hidalguía,** nobility, nobleness, noble rank.
**hierro,** iron.
**hincar,** to thrust; — **una rodilla,** to kneel down.
**hispano,** Hispanic (*poetic*).
**historia,** history, tale, story.
**hocico,** snout; face (*coll.*).
**hogar,** *m.*, hearth.
**hoja,** leaf; — **de lata,** tin-plate.
**hola,** hello, hello there, ho there, look here, hem; ho ho, you don't say so.
**hollar,** to trample under foot; to tread; to set foot in.
**hombre,** man, individual, person; mankind; **todo un** —, every inch a man; — **de bien,** honest man.
**hombro,** shoulder.
**homicida,** *m.* and *f.*, homicide, murderer.
**hondo,** deep, deep-seated.
**hondura,** depth; deep subject.
**honor,** *m.*, honor, fame, good name; mark of respect.
**honra,** honor, esteem; credit, favor.
**honrado,** honest, honorable, reputable, gentlemanlike.
**honrar,** to honor, pay honor to; —**se,** to deem it an honor.
**honroso,** decorous, to one's credit.
**hora,** hour, time; **a estas** —**s,** at this hour, at this (same) time of day, at this moment; **buena** — **de,** a fine time to; **en buen** —, without compunction; **ir en buen** —, to go happily on one's way.
**horca,** gallows.
**horcajadas, a** —, astride, astraddle.
**horrendo,** horrible, dreadful.
**horrio,** *interj.*, come on! step lively! (*coll.*).
**horrísono,** horrisonous, horrible.
**horror,** *m.*, horror, hate; enormity, hideousness, frightfulness; ¡ — ! what an enormity! how horrible!

**horrorizar,** to terrify.
**hoy,** today; **— que,** this being the day that; **por —,** for today.
**huerta,** garden.
**huésped,** *m.*, guest.
**huir,** to flee, disappear, flit away.
**humildad,** humility, meekness.
**humilde,** humble, submissive, unobtrusive, unpretentious.
**humo,** smoke; *pl.*, vanity, presumption.
**hundir,** to plunge, send down; **—se,** to collapse, crumble.

## I

**ídem,** (*Lat.*), idem, the same, ditto.
**iglesia,** church.
**ignorado,** unknown.
**ignorar,** to ignore, be ignorant of, not to know.
**igual,** like, similar.
**iluminar,** to illuminate.
**ilustre,** illustrious; **lo —,** the illustriousness, the nobleness.
**impaciencia,** impatience.
**impedir,** to prevent, hinder, stand in the way of.
**impensado,** unexpected, unforeseen.
**imperio,** empire.
**impío,** impious, wicked; *s.*, godless wretch.
**importar,** to matter, concern.
**imprevisto,** unforeseen, unexpected.
**impune,** unpunished.
**inadvertido,** inadvertent, thoughtless.
**Inca,** Inca (*primitive race controlling a greater part of South America, whose empire was crushed by the Spaniards*).
**incienso,** incense.
**inclinarse,** to bend, lean.
**incógnito,** unknown.
**incomodar,** to inconvenience; *s. m.*, inconvenience, discomfort.
**inconveniente,** *m.*, obstacle, objection.
**incorporarse,** to sit up, get up.
**incumbencia,** duty, obligation.
**indagar,** to investigate, inquire into; to ascertain.
**indecente,** indecent, disreputable.
**indiano,** Indian; one who returns to Spain with riches acquired in America.
**Indias,** Indies (*name formerly applied to Spanish America*).
**indicar,** to indicate, show.
**indicio,** indication, token.
**indignado,** indignant, angry.
**indigno,** unworthy, undeserving.
**indio,** Indian.
**indudable,** certain, beyond all question.
**indulto,** pardon.
**industria,** artifice, device.
**inerme,** unarmed, defenseless.
**inesperado,** unexpected, unforeseen.
**inevitable,** inevitable, unavoidable.
**infame,** infamous, despicable, ignoble, shameful, opprobrious; *s.*, wretch, villain, scoundrel.
**infamia,** base *or* infamous act.
**infante,** *m.*, child, baby.
**infelice,** poetic form of **infeliz.**
**infeliz,** unhappy, unlucky, wretched; *s.*, wretch, poor fellow; **¡— de mí!** wretched that I am!
**infierno,** hell; pandemonium, chaos; *pl.*, hell.
**influjo,** influence.
**infortunio,** misfortune.
**infractor,** *m.*, violator, transgressor.
**infundado,** baseless, groundless.
**ingrato,** ungrateful; *s.*, ingrate.
**inicuo,** iniquitous, wicked; *s.*, reprobate.
**iniquidad,** iniquity.
**injuria,** injury, wrong, affront.
**injusto,** unjust, unfair.
**inmarchitable,** imperishable, unwithering.
**inmóvil,** motionless.
**inmundo,** dirty, unclean.
**inquietud,** uneasiness.
**insensato,** stupid; *s.*, fool.

**insidia,** snare, contrivance.
**insistir,** to insist, persist.
**inspirar,** to inspire (with, in), infuse, enkindle.
**instante,** instant, moment; **al —,** immediately; **al — que,** the moment that.
**insultante,** insulter.
**intención,** intention, purpose.
**intentar,** to attempt.
**intento,** purpose, design.
**interés,** *m.*, interest, concern.
**interesante,** interesting; to one's interest.
**interesar,** to interest, concern, be of importance.
**interior,** *m.*, interior, inside, inner.
**íntimo,** intimate, close.
**invierno,** winter.
**ir,** to go; to be; **— en zaga,** to follow behind; to yield the palm; **—se,** to go, go off, go away, leave; **vamos,** come; **vamos a** + *inf.*, let us; **vaya,** come now, there now, well; **vaya con Dios,** may God be with you; **ya voy,** I'm coming right now.
**ira,** anger, wrath.
**irregular,** disqualified, incapacitated (*debarred from performing ecclesiastical duties by the perpetration of a crime*).
**irresolución,** irresoluteness, hesitancy.
**Isabel,** Elizabeth.
**izquierda,** left hand, left side; **a la —,** on (*or* to) the left.
**izquierdo,** left.

## J

**jaca,** nag, pony.
**jaco,** sorry nag, jade.
**jactarse,** to boast; **— de,** to pride oneself in being.
**jalear,** to prompt a dancer with hand-clapping and shouting.
**jaleo,** Andalusian popular dance; boisterous revelry.
**jalma,** pack-saddle.
**jamás,** never, not once; ever.
**jaquetilla,** small jacket.
**jarra,** earthen jar.
**jastial,** *m.*, (*for* **hastial,** *the* **j** *indicating the aspiration of the* **h** *which is customary when the word is used in this sense*), boor, lout.
**jefe,** commanding officer.
**jerarquía,** rank, condition.
**jeringar,** to bother, pester (*coll.*).
**¡ Jesucristo !** Good Heavens! Goodness gracious! Heavens and Earth!
**Jesús,** Jesus, **¡ — !** Good Heavens! Mercy! Lord help us!; In the name of Jesus!
**jornada,** act.
**joven,** young; *s.*, young man, youth; young woman, girl.
**joya,** jewel, gem, precious object.
**¡ jú !** ugh!
**jubileo,** jubilee; plenary indulgence.
**juego,** game, game of cards; gambling; **— contrario,** a losing game.
**jugar,** to play.
**juguete,** *m.*, plaything.
**juicio,** judgment, prudence, wisdom; opinion, conclusion.
**juntarse,** to meet.
**junto,** together; **todo —,** entire, every parcel of; **— (a),** near, close to.
**jurado,** juror, justice.
**juramento,** oath, vow.
**jurar,** to swear, vow.
**juzgar,** to judge, deem.

## L

**labio,** lip.
**ladera,** side, slope, flank.
**lado,** side, direction, quarter; **a todos —s,** on all sides, in every direction; **a un — y otro,** on either side, on both sides.
**ladrido,** bark, barking.
**ladrón,** *m.*, thief.
**lágrima,** tear.
**lampiño,** beardless.

**lance,** *m.*, incident, occurrence; move; dispute, quarrel; — **de honor,** duel; **echar un buen** —, to make a fine move.
**largamente,** at length, in full detail.
**largo,** long, lengthy.
**lavar,** to cleanse, purify, free from blemish.
**leer,** to read.
**legajo,** bundle, sheaf (*of papers*).
**lego,** lay; *s.*, lay-brother.
**legua,** league (3.44 *miles*).
**lejos,** far, far off, far away; **de** —, in the distance; **a lo** —, in the distance.
**lengua,** tongue; **sin** —, mutely, silently.
**lentamente,** slowly.
**letanía,** litany.
**letrero,** sign, placard.
**levantar,** to raise, elevate, lift up; to utter; — **la tapa de los sesos,** to blow out one's brains; —**se,** to get up, rise, arise.
**ley,** *f.*, law, mandate.
**libertad,** liberty, freedom.
**libertar,** to free, liberate.
**libraco,** worthless book.
**librar,** to free, liberate.
**libre,** free.
**libro,** book.
**licencia,** permission; leave, leave of absence, furlough.
**licenciado,** licentiate (*holder of the university degree called the* **licencia**; *also applied to university students*).
**lidiar,** to fight, contend.
**ligar,** to bind.
**Lima,** Lima (*the historic capital of Peru, which has, however, declined in importance since the War of Independence with Spain in the second decade of the Nineteenth Century; pop., about* 145,000).
**limosna,** alms, charity.
**limosnero,** almoner.
**limpiar,** to clean, wipe off.
**limpieza,** cleanliness.
**limpio,** clean, spotless, untarnished, cleanly; empty; **jugar** —, to play cleanly.
**linaje,** *m.*, lineage, race, condition.
**lindo,** pretty, handsome.
**listo,** ready, prompt, active; promptly.
**lo,** the; him, it, one, so; — **que,** that which, what; **con** — **que,** whereupon; — **que es,** as for, as far as . . . is concerned; — **que gustes,** as you like; — **cual,** which; **en todo** — **cual,** from the very first.
**loco,** mad, insane, crazy; *s.*, madman, fool.
**locura,** madness, craziness.
**lograr,** to obtain, attain; to succeed in.
**lona,** canvas; strip of canvas.
**lontananza,** distance, background; **en** —, in the distance.
**losa,** flag-stone.
**lozano,** sprightly, full of animation.
**lucha,** struggle, battle.
**luego,** then, at once, immediately; besides, then too; afterwards, later on.
**lugar,** *m.*, place, room.
**lugareño,** villager.
**luna,** moon.
**luz,** *f.*, light.

## LL

**llamar,** to call; to name, address, style; to knock, ring, summon; — **atención,** to attract attention.
**llano,** clear, obvious, evident.
**llave,** *f.*, key.
**llavecita,** small key.
**llegar,** to arrive, come; to reach, go up to, approach; — **a,** to reach, come (to); **bien llegado,** welcome.
**llenar,** to fill; to fulfill.
**lleno,** full, filled; — **de,** full of, filled with, covered with; **rostro** —, chubby-faced, with a well-rounded face.
**llevar,** to take, bear, carry; to

take away, carry away (*or* off), to spirit away; to guide, direct, lead.
**llorar,** to weep; to bewail.
**lloroso,** tearful, sorrowful.
**llover,** to rain.

## M

**maceta,** flower-pot.
**macho,** male.
**madre,** mother; **Santa — de los Ángeles,** the Virgin.
**madurar,** to mature, ripen.
**maestrante,** member of a riding club of noblemen.
**maitines,** *m. pl.*, matins.
**majo,** dandy, coxcomb.
**mal,** *m.*, harm, hurt; ill, misfortune, evil; *adv.*, badly, poorly, wrongly; severely; ill.
**maldad,** wickedness, crime.
**maldecir,** to curse.
**maldición,** curse, malediction, bane, damnation.
**maldito,** cursed, accursed; *s.*, wretch; **la muy —a,** the confounded nuisance.
**maleta,** valise.
**maleza,** underbrush, thicket.
**malhechor,** malefactor, criminal.
**malo,** bad, poor, worthless; disastrous, amiss; sick, ill; *s.*, wretch, scoundrel.
**malvado,** wicked, iniquitous, perverse.
**mancebo,** youth, young man.
**manco,** one-armed, one-handed.
**mancha,** stain, blot.
**manchar,** to stain, soil; to defile, tarnish.
**mandar,** to order, command, bid, direct.
**manga,** sleeve; **— perdida,** open sleeve hanging from the shoulder.
**manifestar,** to manifest, reveal; to proclaim.
**mano,** *f.*, hand; **meter —,** to plunge in; **echamos nuestras —s de conversación,** we have our rounds of conversation.
**mansión,** abode.
**manto,** mantle.
**mañana,** morning; *adv.*, tomorrow; **de la —** (*also* **por la —** *and* **de —**), in the morning.
**mañanita: por la —,** very early in the morning.
**mar,** *m.* or *f.*, sea; flood; **llover a —es,** to rain in torrents.
**maravilla,** wonder, marvel.
**marcar,** to mark, indicate.
**marchar,** to go, proceed; to go away, march off; **—se,** to go away.
**marea,** tide; **estar de — alta,** to have (*or* be in for) a high tide (*i.e., a drenching rain*).
**margen,** *m.* or *f.*, border, edge.
**Marica,** *dim. of* **María,** Mary, Maria.
**marido,** husband.
**marqués,** marquis.
**martirio,** martyrdom, torture.
**marzo,** March.
**más,** more, most; any more, any longer, further; greater, better; **— que,** although; **por — que,** however much, although; **no . . . — . . . que,** other than, only, no more than; only; save; **de —,** superfluous.
**mas,** but.
**matador,** slayer, murderer, destroyer.
**matar,** to kill, slay.
**materia,** matter, subject, topic.
**matón,** *m.*, browbeater, bully.
**matutino,** matutinal, (early) morning.
**mayor,** greater, greatest; elder, eldest; further, additional; *s.*, sergeant-major.
**mayorazgo,** oldest, first-born.
**mediados: a — de,** about the middle of.
**medida,** measure; **sin —,** boundless, immeasurable; **a — que,** according as, in proportion as.
**medio,** half; middle; *s.*, means, resource, measure, instrument; **a —a tarde,** in the middle of

the afternoon; **en —**, in the middle, in the midst.
**mediodía,** *m.*, midday.
**medrar,** to thrive, prosper.
**medroso,** timorous, cowardly.
**mejor,** better, best; **lo —**, the finest thing.
**melancolía,** melancholy.
**menester,** *m.*, need.
**mengua,** shortcoming; disgrace.
**menos,** except; **ni —**, nor least of all.
**mental,** mental; **oración —**, silent prayer.
**mente,** *f.*, mind, spirit.
**mentir,** to lie.
**merced,** *f.*, grace, mercy; **su —**, your worship, your grace, you.
**merecer,** to merit, deserve.
**merendona,** sumptuous collation.
**mérito,** merit, desert, excellence.
**mes,** *m.*, month; **a los dos —es**, two months later.
**mesa,** table.
**mesmo,** (*archaic and popular for* **mismo**).
**mesón,** *m.*, inn, hostelry.
**mesonera,** innkeeper's wife, hostess.
**mesonero,** innkeeper.
**mestizo,** mestizo, half-breed (*of both Spanish and Indian blood*).
**meter,** to put, place, set; to introduce; to induce; **— en un puño,** to intimidate; **—se,** to put oneself; to meddle; to get; to enter; to betake oneself.
**mezclar,** to mingle, mix.
**mezquino,** paltry, petty; diminutive, wretched.
**miedo,** fear.
**mientras,** while; **— tanto,** meanwhile.
**mil,** (a) thousand.
**milagro,** miracle.
**milicia,** militia, soldiery.
**militar,** military, soldier; **señor —**, my military friend, my soldier friend.
**mirada,** look, glance.
**mirar,** to look, look at; to consider; *s.*, **— de ojos,** way of looking; **miren,** remember, bear in mind.
**mirilla,** peep-hole.
**misa,** mass (*eccl.*).
**miserable,** miserable, wretched, unhappy; *s.*, wretch.
**misericordia,** mercy, clemency, pity; **¡ — !**, mercy on me! merciful God!
**mísero,** miserable, wretched, hapless.
**mismo,** same, self-same, -self; very; **un —**, one and the same; **los —s,** the same, the above; **lo —**, the same, in the same manner; the same affair (subject, matter); **lo — que,** the same as, as well as.
**misterio,** mystery; mysteriousness.
**mitad,** *f.*, half.
**mochuelo,** red-owl.
**modales,** *m. pl.*, manners, behavior, conduct.
**modo,** way, manner, fashion; moderation, self-control, politeness; civility; **con muy mal —**, very uncivilly; **de — que,** so that, in such a way that.
**mojar,** to wet, soak.
**momento,** moment, instant; **al —**, in a moment, immediately, instantly.
**monasterio,** monastery.
**moneda,** money.
**monstruo,** monster.
**montaña,** mountain.
**montar,** to cock (**una pistola**).
**monte,** *m.*, mountain; **vestido de —**, wearing a hunting costume.
**moreno,** dark-complexioned.
**moribundo,** dying; *s.*, dying man.
**morir,** to die.
**moro,** Moor; *a.*, Moorish.
**mortaja,** shroud.
**mosca,** fly; money, cash (*coll.*).
**mostrador,** *m.*, counter.
**mostrar,** to show, demonstrate, exhibit, manifest, set forth;

—**se,** to show oneself, appear.
**motivo,** motive, reason; **con —,** rightly so.
**moverse,** to move.
**moza,** girl, maid-servant, waitress.
**mozo,** lad, youth; **buen —,** handsome.
**muchacha,** girl, lass, child.
**mudanza,** change, veering, fickleness.
**mudo,** mute, silent.
**muerte,** *f.*, death.
**muerto,** dead; *s.*, dead person.
**muestra,** sign, indication, symptom.
**mujer,** woman, wife.
**mujeriegas: a —,** in woman fashion; sideways.
**mundano,** mundane, worldly.
**mundo,** world; social life, society.
**murria,** low spirits, blues (*coll.*).
**mutuo,** mutual.

## N

**nacer,** to be born.
**nada,** nothing; anything; *s.*, nonentity, thing of naught.
**nadie,** nobody, no one.
**Nápoles,** Naples.
**napolitano,** Neapolitan.
**naranjo,** orange-tree.
**nariz,** *f.*, nose, nostril(s).
**narrar,** to narrate, relate.
**natural,** *m.*, native, inhabitant.
**náufrago,** shipwrecked person.
**navegar,** to navigate, voyage, travel.
**navidad,** Christmas.
**necedad,** foolishness, stupidity.
**necesitar,** to need.
**necio,** stupid, foolish, silly; *s.*, fool.
**negar,** to deny, refuse; —**se,** to refuse, turn a deaf ear to.
**negro,** black; sinister, inauspicious; *s.*, negro.
**ni,** neither, nor; or; **— un instante,** a single instant (*with preceding negative*).
**nimio,** excessive, extreme; painstaking.
**ninguno,** no, none; nobody, no one; any, any one.
**niña,** girl, child.
**nobleza,** nobility, nobleness, gentility, noble birth.
**noche,** *f.*, night; **de —,** night, night-time; **esta —,** tonight.
**nombrar,** to name.
**nombre,** *m.*, name, reputation, credit.
**noramala** (*for* **enhoramala**), **¡ váyanse — !** clear out! off with you!
**norte,** *m.*, guiding star; direction, course.
**nostrama,** = **nuestra ama.**
**notable,** marked, signal.
**notar,** to note, notice, observe.
**noticia,** news, information; **—s suyas,** news of (*or* concerning) her.
**noventa,** ninety.
**novia,** fiancée, betrothed.
**novio,** fiancé, suitor.
**nube,** *f.*, cloud.
**nudo,** knot, union.
**nueva,** news, tidings; piece of news.
**nuevamente,** anew, again.
**nueve,** nine; **a los — meses,** at the end of nine months.
**nuevo,** new; newly arrived; **hasta —a orden,** till further orders; **de —,** anew, again.
**numen,** *m.*, divinity, deity.
**nunca,** never; ever.
**nupcial,** nuptial.

## O

**o,** or; **— . . . —,** either . . . or.
**obedecer,** to obey.
**obediencia,** obedience, docility.
**obediente,** obedient, dutiful.
**objeto,** object, purpose.
**obligar,** to obligate, oblige.
**obra,** work.
**obrar,** to act, proceed.
**obscurecerse,** to grow dark.
**obscuro,** obscure, dark, somber.

**obtener,** to obtain, procure, attain, find.
**ocasión,** occasion, opportunity.
**Occidente,** *m.*, Occident, the West.
**ociosidad,** idleness.
**ocioso,** idle, unoccupied.
**ocultar,** to hide, conceal.
**oculto,** hidden, concealed; in concealment.
**ocurrir,** to occur, take place; **—se,** to occur, strike one's mind; **se me ocurre si,** it strikes me that, I wonder if.
**ofender,** to offend, injure, insult; **—se,** to take offense.
**oficial,** *m.*, officer.
**oficio,** trade, profession, business; professional duty.
**ofrecer,** to offer, promise; **—se,** to happen, occur.
**oído,** ear.
**oír,** to listen, hear.
**¡ ojalá !** would that!, would that he did so!
**ojo,** eye.
**oler,** to smell; to smack of, savor of.
**oliscar,** to scent; to investigate, ascertain.
**olivar,** *m.*, olive-grove.
**olivo,** olive-tree.
**olor,** *m.*, odor; reputation.
**olorcillo,** faint *or* slight odor.
**olvidar(se),** to forget.
**omitir,** to omit, neglect.
**onza,** ounce; — **(de oro),** Spanish doubloon (80 *pesetas, or approximately* $16 *at par*).
**opinión,** opinion; good name, self-esteem.
**oponer,** to oppose, resist; **—se,** to object, be opposed, act against.
**oración,** prayer.
**oratorio,** oratory, chapel.
**orden,** *m.* and *f.*, order; instructions; orderliness; **por su —,** in succession, in proper order.
**ordenanza,** *m.*, orderly (*mil.*)
**orgullo,** pride.
**Oriente,** east; *m.*, Orient; the East.
**orilla,** shore.
**oro,** gold, riches.
**osado,** bold, audacious.
**osar,** to dare, presume.
**ostentar,** to display, exhibit.
**otoño,** autumn.
**otro,** other, another, any other; **— poco,** a little more.
**overo,** blossom-colored *or* peach-colored horse.

## P

**Paco,** Francis, Frank (*coll.*).
**padecer,** to suffer.
**padre,** father; padre (*eccl.*).
**padrino,** second (*in a duel*).
**pagar,** to pay; to repay, recompense, requite.
**paja,** straw.
**pájaro,** bird; sly fellow (*coll.*).
**palabra,** word, promise, pledge; **—s,** words, speech, language.
**pálido,** pale.
**paliza,** drubbing.
**Palma,** Palma del Río (*a town in the province of Córdoba, approximately* 33 *miles southwest of the city of Córdoba; pop.*, 9000).
**palmada,** slap, blow.
**palmatoria,** small candlestick.
**palomar,** *m.*, pigeon-house, dovecote.
**palpitante,** palpitating, quivering.
**palpitar,** to palpitate, throb, beat.
**pan,** *m.*, bread.
**panal,** *m.*, lump of sugar.
**paño,** cloth, rag.
**papel,** *m.*, paper, document; rôle, part.
**para,** in order to, for, to; in the eyes of; **— entonces,** by that time, for the occasion; **— que,** in order that, so that, for the purpose of; only to; **¿ — qué ?** why? for what purpose? **¿ — cuándo ?** for what time? **— conmigo,** with me; as far as I am concerned.
**paradero,** address, whereabouts.
**pararse,** to stop, halt.

**parecer,** to seem, appear, look like; to show up; **a lo que parece,** judging by appearances, from what we can gather.
**pared,** *f.*, wall.
**paredón,** *m.*, big wall.
**pareja,** pair, couple.
**pariente,** *m.*, relation, kinsman.
**parte,** *f.*, part, place, quarter, direction; **en ninguna —,** nowhere; anywhere; **a una — y otra,** here and there.
**particular,** peculiar, extraordinary; **nada de —,** no special significance.
**partidario,** partisan, supporter, sympathizer.
**partido,** match; **tomad vuestro —,** make up your mind, shift for yourself.
**partir(se),** to split, break, break in two.
**pasado,** past, last.
**pasajero,** fleeting, ephemeral, transitory.
**pasar,** to pass, go, move, proceed; to cross, cross over; to spend.
**pasearse,** to walk, pace (to and fro).
**paseo,** walk, stroll; **dar un —,** to take a walk.
**pasmar,** to benumb, stun, chill, amaze, astonish.
**paso,** pace, step, foot-step; passage; **abrirse —,** to push through, break through, make one's way out; **a buen —,** at a good gait; **salir al —,** to block the way, interpose oneself.
**paso,** *adv.*, softly, gently, slowly.
**patada,** kick.
**patear,** to stamp one's feet, be very angry.
**patente,** patent, evident, clear.
**patíbulo,** gibbet, gallows.
**patiecillo,** *dim. of* **patio.**
**patio,** court (*an open court in the interior of a Spanish house or monastery*).
**patria,** country, native land.
**pausado,** calm, quiet, measured.
**paz,** *f.*, peace; **dejar en —,** to let alone.
**pecador,** *m.*, sinner.
**pecho,** breast, chest, bosom; heart; voice.
**pedazo,** piece, shread.
**pedir,** to ask (for), beg (for), demand, request; **— casamiento,** to propose; **— en altas voces,** to cry aloud for.
**pegajoso,** sticky; tenacious.
**pegar,** to stick (on), glue (on), join.
**pelar,** to cut, tear out; *see* **barba.**
**pelea,** battle, fray.
**pelear,** to fight.
**peligro,** peril, danger; **de —,** dangerously.
**pelo,** hair; **—s y señales,** minute details.
**pena,** pain, sorrow; penalty, punishment.
**pendiente,** pending.
**pendón,** *m.*, tall, slovenly woman (*coll.*).
**penetrar,** to penetrate, divine, comprehend.
**penitencia,** penitence; act of penitence.
**pensamiento,** thought.
**pensar,** to think, consider; to think up, devise; to plan, intend.
**pensativo,** pensive, thoughtful.
**peña,** rock.
**peñasco,** cliff, crag.
**peor,** worse, worst; **llevar lo —,** to get the worst of it.
**Pepa,** Josie, Joe (*coll. for* **Josefa**).
**pequeño,** small, little.
**perder,** to lose; to waste, ruin, bring to grief.
**perdido,** vagrant, vagabond.
**perdón,** *m.*, pardon, forgiveness.
**perdonar,** to pardon, forgive.
**perecer,** to perish.
**pérfido,** perfidious, disloyal.
**pergamino,** parchment, title of nobility.
**perjuicio,** detriment, harm.
**permanecer,** to remain.

**permiso,** permission; leave, leave of absence.
**perpetuo,** eternal, everlasting.
**perrillo,** small dog; — **faldero,** lap-dog.
**perseguir,** to pursue.
**persona,** person; — **alguna,** no one, nobody.
**personaje,** *m.*, personage, character.
**personilla,** ridiculous little person.
**perspectiva,** perspective, vista; destiny.
**peseta,** peseta (*Spanish monetary unit, worth at par approximately twenty cents*).
**peso,** weight, burden.
**pestillo,** door-latch, bolt.
**picadero,** place for breaking in horses; corral, enclosure.
**picajoso,** easily offended, touchy.
**picar,** to sting, burn, scorch.
**pie,** *m.*, foot; **de** —, standing; **a** —, afoot.
**piedad,** piety, mercy, pity.
**piedra,** stone.
**pieza,** piece; **todo en una** —, lumped together, rolled in one.
**pilí,** *possibly* regimental officer.
**pillo,** rogue, rascal.
**pintar,** to paint, represent.
**pisada,** footstep.
**pisar,** to tread, tread upon.
**placer,** *m.*, pleasure, enjoyment.
**plana:** — **mayor,** (general) staff (*mil.*).
**planta,** sole of the foot; foot; foot-step.
**plantar,** to plant; to jilt, reject.
**plata,** silver.
**plataforma,** terrace.
**plaza,** bull-ring; square, market-place.
**pliego,** sealed envelope *or* package.
**pobre,** poor, wretched; modest, humble.
**pobrecito,** poor wretch.
**pobreza,** poverty.
**poco,** little; —**s,** few; **a** —, shortly afterwards.
**poder,** to be able; can, may; to have strength enough; **puede (ser) que,** maybe, it may be that; *s. m.*, power, force.
**poderoso,** powerful, potent; active.
**polo,** pole.
**polvo,** dust.
**pomito,** small bottle.
**pomo,** pommel.
**pompa,** pomp, splendor.
**poner,** to put, place, set; to station, post; —**se,** to set (**el sol**); to grow, become; to begin; —**se de** (*or* **en**) **pie,** to arise, get up, stand up.
**por,** through, along, down, by, over, by way of, in, on, at, to; for, as; in order to; thanks to; judging by; on account of, because of; — **entre,** through, through the midst of; — **mí,** for my part.
**Porcuna,** Porcuna (*a town of* 10,500 *inhabitants in the province of Jaén, to the east of the province of Córdoba*).
**porquería,** filthy thing.
**portado: bien** —, well dressed.
**portarse,** to act, behave.
**porte,** *m.*, bearing, demeanor, behavior, conduct.
**portería,** door-keeper's lodge.
**portero,** porter, door-keeper.
**portón,** *m.*, large door.
**porvenir,** *m.*, future.
**pos: en** —, after, behind.
**posada,** inn, small hotel.
**Posadas,** Posadas (*town of* 7000 *inhabitants in the province of Córdoba,* 20 *miles southwest of the city of Córdoba*).
**postigo,** wicket, small door.
**postrimero,** last.
**pozo,** well.
**practicable,** passable, usable, serviceable.
**preboste,** *m.*, provost; **capitán** —, provost-captain.
**precepto,** mandate, injunction.
**preciar,** to esteem; —**se,** to boast, take pride in, glory.

**precipicio,** precipice, abyss, cliff.
**precipitado,** precipitous, hasty, hurried.
**precipitar,** to precipitate, drive headlong; **—se,** to rush, fling oneself (headlong).
**precisamente,** at this very moment.
**preciso,** necessary; exact, explicit.
**precoz,** premature.
**pregonar,** to proclaim.
**preguntar,** to ask.
**prelado,** prelate.
**premio,** reward, recompense, remuneration.
**premioso,** tight, fast.
**prenda,** idol, darling, treasure, sweetheart, dear girl, sweet creature.
**presa,** bite, morsel; prey, victim.
**presentar,** to present, offer; **—se,** to offer one's services, pay one's respects.
**presente,** *m.*, present, gift.
**preso,** prisoner.
**prestar,** to lend, give.
**presto,** quickly, at once.
**presuroso,** swift, nimble, rapid, hasty.
**pretensión,** pretension, claim.
**prevenir,** to advise, apprize.
**prez,** *m.* or *f.*, honor, pride, glory.
**priesa,** haste; **a gran —,** in great haste.
**primero,** first; at first; **lo —,** the first thing, the first step.
**primo,** cousin.
**principal,** principal, main, chief; **la guardia del —,** main guard (*stationed in the center of a town, and acting as a body of reserves to be called out in an emergency*).
**príncipe,** prince.
**principio,** beginning.
**prisa,** haste; **de —,** hurriedly, hastily; **meter —,** to be in a hurry.
**prisión,** prison, jail.
**privar,** to deprive, despoil.
**pro,** benefit; **en — de,** of benefit to.
**probar,** to prove; to test, try out.
**procurar,** to attempt, try; to procure, solicit.
**prodigio,** prodigy, marvel.
**proeza,** prowess, exploit.
**profundo,** deep, profound, heartfelt.
**prolijo,** solicitous, painstaking.
**prometer,** to promise.
**pronto,** sudden impulse; prompt, immediate; soon; immediately, right away; **de —,** suddenly.
**pronunciar,** to pronounce, say, utter.
**propicio,** propitious, favorable, well-disposed.
**propósito,** purpose, aim, object, end.
**proscenio,** proscenium.
**prosternarse,** to prostrate oneself.
**proteger,** to protect, shield.
**protervo,** wanton, perverse, stubborn.
**próvido,** provident, solicitous, considerate.
**proyecto,** plan, design, purpose.
**prueba,** proof, argument, evidence; test, experiment, trial.
**publicar,** to publish, promulgate; to reveal.
**pueblo,** town, village.
**puente,** *m.* or *f.*, bridge.
**puerco,** dirty, filthy.
**puerta,** door, doorway; entrance, gate.
**puerto,** port, harbor.
**pues,** well, then, well then, now, why; for, because, since; **— que,** since, seeing that, now that; **— qué,** why, what, how about it, what then; **¿ — no?** why not? of course; **— si,** why.
**puesto,** post, position, station; stand; **— que,** since, inasmuch as.
**pulcritud,** tidiness, neatness.
**pulcro,** tidy, neat.
**pulga,** flea; **tener malas —s,** to be easily piqued, be ill-tempered.
**pundonor,** *m.*, point of honor; punctiliousness.
**pundonoroso,** punctilious.

**puntear,** to play (*stringed instrument*).
**punto,** point; instant, moment; punter, player, gambler; **al —,** immediately, at once, instantly; **de medio —,** semicircular.
**puñada,** fisticuff.
**puñal,** *m.*, dagger.
**puño,** fist, grasp.
**puro,** pure, limpid, clear; genuine, unsullied; **de — fiel,** out of sheer loyalty.

## Q

**que,** which, that, who, whom; **el —,** which, the one that; **con —,** the wherewithal.
**qué,** what, what a, why, how; **¿ — tal ?** how? **¿ a — ?** for what reason? for what purpose? why? **¿ y — ?** how about it? tell me; **¡ — . . . tan!** what a! **¿ el — ?** what?
**que,** for, because, as; than; while; that, so that; **a —,** in order to, to; **lo mismo —,** the same as; **es —,** the fact is that.
**quebrantar,** to break, violate.
**quebrar,** to break up, bankrupt; to become bankrupt.
**quedar(se),** to remain, stay, become, be, be left, continue; to stand, pause.
**querer,** to want, wish; to love, like; to grant; to seek, try; to resolve, determine.
**querida,** dear, beloved.
**quien,** who, whom; whoever; that, which; he who, one who, some one who; **si —,** if anyone; whoever.
**quién,** who, whom.
**quietud,** quiet, rest, repose.
**quinto,** fifth.
**quitar,** to remove, take off; to take away, deprive, dispossess; **¡ quita !** away with you! out of my sight!
**quizás,** perhaps.

## R

**rabiar,** to rage, storm.
**raciocinio,** reasoning, argument.
**ración,** ration, portion, helping.
**rareza,** eccentricity, peculiarity.
**raro,** rare, uncommon, unusual, queer; **— avez** (*also pl.*), rarely, seldom; **tener cosas muy —as,** to have very queer ways.
**rasgo,** trait, attribute.
**raso: al —,** in the open air, out of doors.
**rato,** moment, while, time, bit, spell.
**raya,** line, seam.
**rayo,** ray, beam; thunderbolt, flash of lightning.
**raza,** race.
**razón,** *f.*, reason, motive, justification; right, right thing; discussion; **— es,** to be right, be fitting; **con —,** rightly, deservingly; **hacer la —,** to have a hand *or* join in the festivities; **razones,** arguments.
**rebeldía,** rebellion, insurrection.
**rebotar,** to irritate, annoy, exasperate; "to make one sick" (*coll.*).
**recado,** message.
**recapacitar,** to think intently; to meditate.
**recatadamente,** cautiously, circumspectly.
**recatar,** to hide, conceal.
**recelar,** to fear, suspect.
**receloso,** distrustful, suspicious.
**recibir,** to receive, welcome.
**recién,** recently, just; **— nacido,** newly born.
**recio,** loud.
**reclamar,** to reclaim, redeem, recover.
**recluta,** *m.*, recruit.
**recobrar,** to regain, recover.
**recoger,** to pick up, gather up, take in, get; **—se,** to retire.
**reconocer,** to recognize, inspect, examine.

**reconocimiento,** reconnaissance, inspection.
**recordar,** to remind (of); to recall, remember.
**recorrer,** to travel over, scour.
**recostar,** to lean against, recline.
**redecilla,** sort of ornamental hair-net formerly worn by both men and women.
**rededores,** *m. pl.*, vicinity, neighborhood.
**redoble,** *m.*, roll of a drum.
**redor: en —,** round about, on all sides.
**refectorio,** refectory.
**referir,** to tell, relate.
**reforzar,** to re-enforce.
**refrescar,** to refresh, cool off.
**refriega,** skirmish, scuffle.
**refrigerio,** cooling drink.
**refunfuñar,** to grumble.
**regalo,** gift, present.
**regidor,** alderman, councilman.
**regimiento,** regiment; **de —,** regimental.
**regio,** regal.
**registrar,** to examine.
**regla,** rule, regulation, law.
**regular,** regular; fitting, proper, fair.
**rehusar,** to refuse, deny.
**reina,** queen.
**reinar,** to reign; to command, hold sway.
**reír(se),** to laugh.
**relación,** relation; **relaciones,** relationship.
**relámpago,** flash, flash of lightning.
**relampaguear,** to flash, gleam.
**relente,** *m.*, night dew.
**religioso,** religious; *s.*, monk, friar, man of religion.
**reliquia,** trace, after-effect.
**reloj,** *m.*, clock.
**remedio,** remedy, cure, alleviation; help, escape.
**remordimiento,** remorse, compunction.
**renacer,** to be born again; to grow again, spring up again.
**rencoroso,** spiteful, vindictive.
**rendido,** devoted, humble; fatigued, worn out.
**rendir,** to overcome, subdue, win the love of.
**renovar,** to renew, revive.
**renunciar,** to renounce, waive, give up.
**reñir,** to quarrel, fight.
**reo,** criminal, culprit.
**reparación,** amends, atonement.
**reparar,** to atone for, expiate; **—se,** to notice.
**reparo,** repair.
**repartimiento,** distribution.
**repartir,** to distribute, dole out.
**repente,** *m.*, sudden impulse; **de —,** suddenly.
**repentino,** sudden.
**repicar,** to peal.
**repleto,** very full; with full (*or* bulging) pockets.
**replicar,** to reply, retort, argue.
**reponer,** to reinstate, restore; **—se,** to recover, be cured, be restored to health; to regain composure.
**reportarse,** to regain composure; to restrain oneself.
**reposo,** repose, rest.
**réprobo,** reprobate.
**repugnar,** to loathe, abhor.
**requiebro,** compliment.
**requisito,** prerequisite, requirement.
**requisitoria,** writ of requisition *or* mandamus.
**rescatar,** to ransom, rescue.
**reserva,** prudence, circumspection.
**resguardo,** protection, shelter, defence.
**resignado,** resigned, submissive.
**resistir,** to resist, endure, withstand.
**resolución,** resolution, decision; resoluteness, courage.
**resolverse,** to resolve, make up one's mind.
**resonar,** to resound, reverberate.
**respetar,** to respect.
**respeto,** respect, consideration.
**respirar,** to breathe, breathe

freely; to live; rest, take respite.
**resplandor,** *m.*, light, glare, glimmer.
**respuesta,** reply, answer.
**restablecerse,** to recover, recuperate.
**restar,** to remain, be left.
**restaurar,** to restore, retrieve.
**resto,** rest, remains; *pl.*, leavings, remains.
**restregar,** to rub.
**resuelto,** resolute, firm, determined.
**retar,** to challenge.
**retardo,** delay.
**retirado,** retired, in seclusion.
**retirar,** to remove, take away, withdraw; **—se,** to step back, retreat, withdraw, leave, be gone.
**retiro,** retirement, seclusion.
**retrato,** picture, portrait.
**retroceder,** to retreat, fall back.
**reunir,** to gather together, rally; **—se,** to gather together, congregate, meet, join.
**reventar,** to burst.
**reverencia,** reverence (*title*).
**reverendísimo,** most reverend, right reverend; **vuestra —a,** your grace, your worship.
**revolcarse,** to roll around, wallow.
**revolver,** to turn upside-down.
**rey,** king.
**rezar,** to pray; **— el rosario,** to tell one's beads.
**riachuelo,** small river, streamlet.
**rico,** rich, wealthy; splendid, fine; sumptuous, exquisite, elaborate.
**riesgo,** risk, danger.
**rígido,** rigid, inflexible, unbending.
**rigor,** *m.*, rigor, rigorousness, pitilessness, severity.
**río,** river.
**riqueza,** riches, wealth.
**risco,** crag, cliff.
**risueño,** smiling, pleasant, promising.
**robador,** robber, abductor.
**robar,** to rob; to abduct.
**rociar,** to sprinkle.
**rocín,** *m.*, nag, jade.
**rodar,** to roll.
**rodear,** to surround.
**rodilla,** knee; **de —s,** on one's knees, kneeling.
**rogar,** to ask, beg, entreat.
**rollo,** pillar; gibbet.
**romper,** to break; to violate, shatter, destroy; to penetrate.
**rondar,** to haunt; to prowl *or* hover about.
**rondeña,** melody peculiar to Ronda (a picturesque mountain town near Gibraltar). The **rondeña** is composed of four-line couplets of octosyllabic verses.
**roñoso,** scabby; mean, stingy.
**ropa,** clothes, clothing.
**rosario,** rosary.
**rostro,** face.
**rugir,** to roar.
**ruido,** noise, uproar.
**ruin,** base, wicked, vile, despicable, petty, avaricious.
**rumbo,** liberality, ostentation (*coll.*); **tener mucho —,** to be very ostentatious *or* liberal; to be a spender.
**rumboso,** liberal, pompous; free-spender.
**rumor,** *m.*, sound, noise.

## S

**saber,** to know, know how, be able; to learn, find out; to understand; **qué sé yo,** and so forth and so on.
**sabio,** wise, judicious.
**sabroso,** savory.
**sacar,** to take out, draw out, get out, take away; to extract, remove; **— de los cascos,** to get out of one's head, to cure (of).
**sacerdote,** *m.*, priest.
**saciar,** to satiate, satisfy, slake.
**saco,** sack (*loose-fitting garment*).

**sacrílego,** sacrilegious.
**sagaz,** sagacious, discerning.
**sagrado,** sacred, holy.
**sala,** parlor, reception-room room.
**salado,** witty, winsome, graceful.
**Salamanca,** Salamanca (*historic city and capital of the province of* Salamanca, 172 *miles northwest of Madrid; pop.*, 33,000. Salamanca *is the seat of the oldest university in Spain, the Universidad de Salamanca, founded in* 1230, *which came to be renowned throughout Europe in the Fifteenth and early Sixteenth, centuries but began to decline in reputation soon after* 1550).
**saleroso,** witty, charming, winsome.
**salida,** sally; exit; end (*of a bridge*).
**salir,** to go out, depart, leave; to sally, issue forth; to come out, come forth, appear, enter; to be issued; to prove to be, turn out to be.
**saltar,** to leap, jump; **—se,** to flow, spring forth.
**salteador,** *m.*, highwayman, brigand.
**salud,** *f.*, salvation; health.
**saludable,** salutary, wholesome.
**salvaje,** savage, wild.
**salvar,** to save.
**salvo: a — de,** safe from, beyond the reach of.
**sandez,** inanity, silly remark, nonsense.
**sangre,** *f.*, blood; family, line; disposition.
**sangriento,** bloody, blood-stained.
**sano,** healthy, in good health, well.
**santamente,** piously, religiously.
**santo,** holy, sacred, saintly, blessed, divine; *s.*, saint.
**saña,** anger, fury.
**sargento,** sergeant.
**sartén,** *f.*, frying-pan.
**satisfacer,** to satisfy, gratify, allay; justify, bear out.
**satisfecho,** satisfied, content.
**sayal,** *m.*, sackcloth.
**sayo,** robe, garb.
**sayón,** *m.*, executioner.
**sebo,** tallow.
**secreto,** secret; secrecy.
**sed,** *f.*, thirst.
**seda,** silk.
**seducir,** to seduce, lead astray; to practise seduction.
**seductor,** seducer, ravisher.
**segar,** to reap, cut off.
**seguidilla,** popular Spanish air and dance.
**seguida,** succession; **en —,** immediately, at once.
**seguido,** consecutive, successive.
**seguir,** to follow; to continue, keep on.
**según,** as, according to, according to the way that, judging by the way that, according to what, judging by what.
**segundo,** second; **lo —,** the second thing, the second step.
**segurito,** ensconced, snugly settled.
**seguro,** secure, safe; certain, assured.
**selva,** forest.
**sellar,** to seal.
**sello,** seal.
**semana,** week.
**semblante,** *m.*, face.
**semejante,** such (a).
**semilla,** seed.
**sencillo,** simple.
**seno,** bosom; womb; interior, innermost recesses.
**sentar,** to seat; **—se,** to sit down.
**sentencia,** (death) sentence, doom.
**sentido,** consciousness.
**sentir,** to feel; to regret, be sorry; **—se,** to feel.
**seña,** sign, nod.
**señal,** *f.*, sign, mark.
**señalar,** to indicate, point to.
**señor,** sir, sire; gentleman, person of quality; master; **— capitán,** sir; **— bachiller,** worthy bachelor, my bachelor

friend, my dear bachelor, good sir, good bachelor, my good sir; — **alcalde,** your worhip (*the above examples may serve as illustrations of possible English renderings of* **señor** *followed by a title; in most cases, however, it is advisable to omit the* **señor** *in translation*).

**señora,** mistress, lady; madam.

**señoría,** lordship; **su —,** his worship, his grace.

**señorita,** miss, girl.

**señorito,** young man, master; sir (*best omitted in expressions like* **el señorito estudiante**).

**separar,** to separate, part; **—se,** to leave, go away.

**sepulcro,** sepulchre, tomb.

**sepultar,** to bury, inter; to conceal.

**sepultura,** sepulture, burial, grave.

**ser,** to be; happen, come to pass; **es que,** it is true that, it is a fact that; **no sea que,** unless.

**serenidad,** serenity, calmness, presence of mind.

**serpentear,** to wind its way.

**servir,** to serve, be fit; **— de,** to serve as.

**seso,** brains.

**severo,** severe, rigorous, stern.

**sí,** yes, of course, certainly; **eso —,** that's true; **yo —,** but I do (did).

**si,** if; why, the fact is that; **— que,** so that.

**siempre,** always; continually; **por —,** for ever; **— que,** every time that, whenever.

**sierra,** sierra, mountain-range.

**siervo,** servant.

**siglo,** century; world, outside world.

**signo,** sign of the zodiac; **en — terrible,** under a dreadful star.

**silla,** chair, seat; saddle; **— de paja,** straw-bottomed chair.

**sillón,** *m.*, armchair.

**sima,** abyss, chasm.

**sin,** without; **— que,** without.

**sino,** fate, destiny.

**sino,** *conj.*, but, but rather, except; **— que,** except that, but that.

**siquiera,** at least, just.

**sisiones,** *f. pl.*, intermittent fever.

**sitio,** place, locality.

**soberano,** sovereign, supreme, peerless, superlative.

**soberbio,** superb, magnificent.

**sobrado,** abundant, in abundance; excessive, too much.

**sobras,** scraps, leavings.

**sobre,** *m.*, envelope, cover.

**sobre,** *prep.*, on, upon, over, above; concerning, with regard to.

**sobresaltar,** to startle, frighten, terrify.

**sobresalto,** sudden dread, surprise.

**socorrer,** to succor, aid, assist; to relieve (*mil.*)

**socorro,** succor, aid, assistance, help.

**soez,** vile, coarse.

**sofocar,** to choke, suffocate.

**sol,** *m.*, sun; **al —,** in the sun, in the sunshine.

**solamente,** only, alone.

**soldado,** soldier.

**soledad,** solitude.

**soler,** to be wont, be accustomed.

**solicitar,** to solicit, seek.

**solicitud,** solicitude, solicitousness, diligence.

**solo,** alone, only; **un —,** just one, one single, an only; **a —as,** all alone.

**sólo,** only, just, solely, merely, nothing but; **uno —,** just one, only one; **tan —,** only, just.

**soltar,** to put down, throw down, let go of.

**sombra,** shadow, shade, spirit.

**sombrero,** hat.

**sombrío,** somber, gloomy, murky.

**son,** *m.*, sound; **al — de,** to the accompaniment of.

**sonar,** to sound, make a noise, be heard, ring; to be noised abroad, circulate.

**sonido,** sound.
**sonoro,** sonorous.
**sonrisa,** smile.
**sonsoniche,** *interj.*, what the deuce!, leave me alone! (*coll.*).
**soñar,** to dream (of).
**sopa,** soup; sop.
**sopista,** student living upon charity; "sponger."
**soplar,** to blow (up).
**sordo,** deaf.
**sorprender,** to surprise.
**sorpresa,** surprise.
**sosegar,** to rest, calm, relieve.
**sospecha,** suspicion.
**sospechar,** to suspect, mistrust.
**sota,** jack, knave (*at cards*).
**suave,** smooth, easy, mellow.
**suavizar,** to soften, ease, mellow.
**subir,** to climb up, ascend, go up, come up.
**súbito,** sudden.
**subteniente,** second lieutenant.
**suceder,** to happen, occur, come about.
**sudar,** to sweat, perspire; *a.*, **sudado,** sweaty.
**sudor,** *m.*, sweat, perspiration.
**suelo,** soil, ground, earth, land.
**sueño,** sleep, slumber.
**suerte,** *f.*, luck, fortune, lot, fate; way, manner; **de otra —,** otherwise, in a different manner; **estar de — que,** to be in such a condition (*i.e.*, good state of health) that.
**sufrir,** to suffer, endure, tolerate, undergo; to sustain.
**sugerir,** to suggest.
**sujetar,** to grasp, hold fast.
**sumergir,** to submerge, plunge.
**sumo,** utmost, greatest, exceeding.
**superior,** superior, high(er).
**súpito,** violent, impatient.
**suplicante,** suppliant.
**suplicar,** to beg, beseech.
**suplicio,** punishment, torture, suffering; place of execution.
**supuesto,** assumed.
**sur,** *m.*, south.
**suspender,** to suspend, stay; to surprise, astonish, amaze; **suspenso,** surprised, in suspense.
**sustentar,** to sustain, support.
**sustento,** food, sustenance.

## T

**tabla,** board, plank.
**tabladillo,** boards *or* bottom of a small bedstead.
**taimado,** sly, crafty.
**tal,** such, such a, such a thing; **el —,** said, our, your (*depreciatory*).
**talla,** hand (*in cards*).
**tallar,** to deal (*cards*).
**talle,** *m.*, shape, form, cut, type.
**tamañito,** so big (*accompanied by a gesture*).
**tambor,** *m.*, drum; drummer.
**tampoco,** either, nor, nor (*or* not) . . . either.
**tan,** so, such (a), as; **¡ qué . . . — !** what (a) . . . ! **— . . . como,** as . . . as.
**tanto,** so much, so great, such (a) great; **—s,** so many, so numerous; **— . . . como,** both . . . and; as much . . . as.
**tapa,** lid, cover; **— de los sesos,** top of the skull; brains (*fig.*).
**tapado,** covered, concealed; **carta —a,** face-down (*at cards*).
**tapete,** *m.*, table-scarf, table-cover.
**tapia,** mud-wall, wall; **sordo como una —,** deaf as a post.
**tapial,** *m.*, wall.
**tardanza,** delay.
**tardar,** to delay, take long.
**tarde,** late; **— o temprano,** sooner or later; *s. f.*, afternoon, evening.
**tarima,** bedstead.
**tea,** torch.
**teatro,** theater; stage.
**telaraña,** cobweb.
**telón,** *m.*, curtain.
**temblar,** to tremble, shake.
**temblor,** *m.*, trembling, tremor.
**temer,** to fear, be afraid.

**temerario,** rash, hasty, headlong, groundless; *s.*, rashling.
**temor,** *m.*, fear.
**templado,** lukewarm.
**templar,** to tune; to temper, allay, abate; **—se,** to cool down, calm down.
**templo,** church.
**temprano,** early, soon.
**tenaz,** tenacious, stubborn.
**tenderse,** to stretch out.
**tener,** to have; to keep; **— que,** to have to; **— en poco,** to esteem lightly; **— por,** to deem, consider.
**teniente,** lieutenant; **— coronel,** lieutenant-colonel.
**tentación,** temptation.
**tentador,** *m.*, tempter.
**teñir,** to tinge, stain.
**tercero,** third.
**terminar,** to terminate, end, finish.
**término,** end, limit, threshold; **en primer —,** in the foreground.
**ternejal,** blustering, arrogant.
**terneza,** tenderness.
**ternura,** tenderness.
**tesoro,** treasure; **mi —,** my treasure, my precious idol.
**testarudo,** obstinate, stubborn.
**testigo,** witness.
**tía,** aunt; **— Colasa,** mistress *or* dame Colasa.
**tiempo,** time, period of time, epoch, times; weather; season; **a un —,** at the same time; **a — de,** in time to.
**tienda,** tent; store, shop.
**tiento,** prudence, circumspection.
**tierno,** tender, fond, loving.
**tierra,** earth, ground, land, region; clay, dust.
**tío,** uncle; old man, fellow (*coll.*).
**tirano,** tyrannical.
**tirar,** to draw, deal (*cards*); to throw down.
**tiro,** shot.
**tiroteo,** firing, shooting; marksmanship.
**titular,** to obtain a title from a sovereign.
**tiznar,** to smear, rub soot on.
**tizne,** *f.*, soot.
**tocar,** to touch; to play; to ring; to be one's turn, fall to one's lot.
**todo,** all, every, everything; anything; *pl.*, all, everybody; **mi —,** my all in all; **del —,** entirely; **— un,** an entire; **—s unos,** working together, all on the same side.
**tolerar,** to tolerate, suffer, permit.
**tomar,** to take, have; to choose; to accept, assume; **— el fresco,** to enjoy a breath of (cool) air; to cool off; **¡ toma !** well! just listen!; here! take this!; **toma si . . .,** *see note* 1, *p.* 114.
**tomate,** *m.*, tomato.
**tono,** mode of address, intonation.
**tontilla,** little goose.
**tonto,** foolish, stupid; *s.*, fool, simpleton.
**tordo,** dapple, gray.
**torero,** bull-fighter.
**tormenta,** storm, tempest.
**tormento,** torment, torture.
**tornar,** to turn, convert; **— a embarcarse,** to embark again.
**torno: en —,** round about, on all sides.
**toro,** bull; **—s,** bull-fight.
**torre,** *f.*, tower, turret.
**tosco,** rough.
**trabajar,** to work.
**trabajo,** work; effort; difficulty; trouble.
**trabar,** to commence, start.
**traer,** to bring, bring in, bring along, bring back.
**tragar,** to swallow, devour.
**trago,** swallow, drink.
**traición,** treason, treachery, act of treason.
**traidor,** treacherous, perfidious; *s. m.*, traitor.
**traje,** *m.*, costume, garb.
**trampa,** trick.

**tramposo,** trickster, card-sharp.
**trance,** *m.*, peril, danger; juncture, critical moment; **a todo** —, at any risk (*or* cost).
**tranquilidad,** tranquillity, peace, repose.
**tranquilizar,** to calm, reassure.
**tranquilo,** tranquil, calm, peaceful.
**tras (de),** after, behind, on the other side of; right next to.
**trasplantar,** to transplant, send away.
**trasponer,** to spend, pass.
**trastorno,** upheaval, disorder.
**tratar,** to treat, handle, discuss; to try, attempt; to have dealings with.
**trato,** conduct, behavior; conversation.
**tregua,** respite, truce.
**tres,** three; tray (*cards*).
**tripa,** stomach, belly, insides (*coll.*).
**triste,** sad, sorrowful.
**triunfar,** to triumph, be victorious.
**triunfo,** triumph, victory.
**tronar,** to thunder; to descend (upon).
**trono,** throne.
**tropa,** troups.
**trueno,** thunder-clap.
**truhán,** *m.*, scoundrel, rascal, buffoon.
**tullirse,** to be crippled.
**tumba,** tomb.
**turbación,** perturbation, confusion.
**turbar,** to disturb, upset, trouble.

## U

**ufano,** proud, gay, cheerful.
**último,** last.
**umbral,** *m.*, threshold.
**único,** only, sole.
**unir,** to unite, bind, join.
**urgente,** urgent; pressed for time.
**urna,** urn, casket.
**usía,** (*contr. of* **vuestra señoría**), your worship, your grace, you.

## V

**vagar,** to wander, roam.
**valentía,** valor, courage.
**valer,** to be worth, be influential; to protect; **¡ válgame Dios !** for Heaven's sake!
**valiente,** valiant, brave.
**valle,** *m.*, valley.
**vanidad,** vanity.
**vano,** vain, idle, empty, useless; proud, presumptuous; **en** —, in vain, useless.
**vario,** various, different; **—s,** some, several.
**varón,** *m.*, male.
**vasar,** *m.*, shelf.
**vaso,** glass.
**vecino,** neighboring; **— de,** near; *s.*, neighbor.
**vehemencia,** vehemence, impetuosity.
**vejete,** *m.*, ridiculous old man.
**vela,** candle.
**veloz,** swift, rapid.
**vena,** vein.
**venganza,** vengeance.
**vengar,** to avenge.
**vengativo,** revengeful, vindictive.
**venir,** to come; to be; to ride; **—se,** to come; **venga,** bring it on, let me (*or* us) have it.
**ventaja,** advantage, profit.
**ventana,** window.
**ventanilla,** small window, peephole.
**ventura,** happiness, felicity; **por** —, perchance; **sin** —, hapless.
**ver,** to see, perceive, look, look at; to visit; **—se con,** to see, hold an interview with; **a** —, let's see, let me see.
**verano,** summer.
**veras,** truth, reality; **de** —, joking apart, in all seriousness; **¿ de — ?** really?
**verdad,** truth, true; **a la** —, truly, in truth; **la** —, to tell the truth.
**verdadero,** true, sincere, genuine.
**verde,** green.
**verdugo,** executioner, hangman.

**verdura,** vegetables, garden-stuff.
**verificar,** to confirm, prove.
**verter,** to spill.
**vestido,** garb, habit.
**vestir,** to dress, clothe; to don, put on; **vestida de hombre,** dressed like a man, wearing masculine attire.
**vez,** *f.*, time; **otra** —, another time, again, once more; **tal** —, perhaps.
**viajar,** to travel.
**viaje,** *m.*, trip, journey; **buen** —, God speed.
**viajero,** traveller.
**vida,** life, existence; dear, sweetheart; **en mi** —, never; **por** — **mía,** upon my life, on my word.
**viejo,** old, aged.
**viento,** wind.
**viernes,** *m.*, Friday.
**vigilante,** vigilant, watchful.
**vigor,** *m.*, vigor, strength.
**vil,** vile, base, despicable, ignoble; **s.**, wretch, scoundrel, blackguard.
**villa,** town.
**vinagre,** *m.*, vinegar.
**vínculo,** tie, bond of union.
**vino,** wine.
**virgen,** virgin; **la** —, the Virgin; **la** — **de los Ángeles, la** — **del Rosario,** appellations of the Virgin.
**virreinato,** viceroyship.
**visaje,** *m.*, grimace; **hacer** —**s,** to make wry faces.
**vista: de** —, on guard.
**vistoso,** showy.
**vital,** life-giving.
**vivienda,** lodging, shelter.
**vivir,** to live, be alive; **¡ viva !** hurrah for! long live!; **vive Dios,** as God lives; **vive el cielo,** by Heaven, as sure as Fate.
**vivo,** living, intense, lasting; lively, bright.
**volar,** to fly, hasten.
**volver,** to return, come back; to turn, turn up, turn over; —**se,** to return; — **a pasar,** to pass over again; — **en sí,** to recover one's senses, regain consciousness; — **al furor,** to grow furious again; **vuelta si . . .,** *see note* 1, *p*. 114.
**voto,** vow.
**voz,** *f.*, voice; shout, outcry, clamor; **a voces,** loudly, in a loud voice; **decir a voces,** to proclaim, blaze abroad; **pedir en altas voces,** to cry aloud for.

### Y

**ya,** already, now; soon; finally; of course, to be sure, indeed, certainly, yes; — **que,** since; — **no,** no longer; any longer.
**yacer,** to lie, lie in the grave.
**yermo,** desert, wilderness.
**yerno,** son-in-law.
**yerto,** stiff, tense.

### Z

**zaga,** rear part of anything; **en** —, *see* **ir.**
**zalamería,** flattery, wheedling.
**zangoloteo,** disturbance, rumpus (*coll.*).
**zapato,** shoe.
**zona,** zone, region.
**zupia,** roily wine, slop.